Zu diesem Buch

«‹Wir sind, wie immer wir uns dazu verhalten, die Söhne und Töchter der Täter, wir sind nicht die Kinder der Opfer›: Diesem Irrtum sind viele Linke erlegen: Wenn man sich nur radikal genug von den Vätern distanziere, sei man frei von der Last der Vergangenheit. Die Leistung von Peter Schneiders ‹Vati›-Novelle besteht darin, dieser Erkenntnis literarische Gestalt gegeben zu haben.» (Ulrich Greiner, «Die Zeit»)

Peter Schneider, geboren am 21. April 1940 in Lübeck, studierte Germanistik, Philosophie und Geschichte, zuletzt an der FU Berlin, und war einer der Wortführer der Studentenbewegung. Gastdozenturen in Stanford, Princeton, Harvard, Dartmouth. Seit 1962 lebt er als freier Schriftsteller in Berlin.

Veröffentlichungen u.a.: «Lenz. Eine Erzählung» (1973), «Messer im Kopf. Drehbuch zu einem Film» (1979, verfilmt von Reinhard Hauff), «Die Botschaft des Pferdekopfs und andere Essays aus einem friedlichen Jahrzehnt» (1981), «Ratte – tot ... Ein Briefwechsel», zusammen mit Peter-Jürgen Boock (1985), «Totoloque. Stück in drei Spielen» (1985).

In der Reihe der rororo-Taschenbücher liegen vor «Extreme Mittellage. Eine Reise durch das deutsche Nationalgefühl» (Nr. 8718) und der Roman «Paarungen» (Nr. 13493). Nach einer Episode aus «Der Mauerspringer» (Nr. 13532) schrieb Peter Schneider das Drehbuch zum Film «Der Mann auf der Mauer» von Reinhard Hauff. Zusammen mit Margarethe von Trotta schrieb er das Drehbuch zu ihrem Film «Das Versprechen». Im Rowohlt Verlag erschien sein Essayband «Vom Ende der Gewißheit» (1994).

Peter Schneider

Vati Erzählung

Rowohlt

Veröffentlicht im Rowohlt Taschenbuch Verlag GmbH,
Reinbek bei Hamburg, Februar 1996
Copyright © 1996 by Rowohlt Taschenbuch Verlag GmbH,
Reinbek bei Hamburg
Die Originalausgabe erschien 1987 im Hermann Luchterhand
Verlag GmbH & Co KG, Darmstadt und Neuwied
Umschlaggestaltung Michaela Booth
Satz Garamond (Linotronic 500)
Gesamtherstellung Clausen & Bosse, Leck
Printed in Germany
990-ISBN 3 499 13651 1

Vati

Im Januar habe ich ihn gesehen. Du fragst mich, was ich erwartet habe: vielleicht ein Gefühl. Ich stand vor dem Mann mit der Windjacke, Khakihose, Khakihemd, Glatze, sieht wie jeder und niemand aus, dachte ich, und nichts. Nur die Schuhe fielen mir auf, die dicken Kreppsohlen. Zu festes, zu hartes Leder für diese Gegend, für diese Hitze, Schuhe, mit denen man über eine andere Erde geht, Tirol zum Beispiel. Und überall Hunde, eine Meute schrecklich magerer, herrenloser Hunde, die nach meinen Waden schnappten. Keine Angst, bloß keine Angst, Angst wäre jetzt das unpassendste Gefühl. Aber auf der Hut war ich doch. Vielleicht spürte ich deswegen nichts, nicht einmal Neugier. Er wartete auf ein Zeichen, von mir sollte es ausgehen, er würde mir nicht zuvorkommen, er war stolz und gewohnt, ohne Menschen zu leben. Die Hunde kannten ihn. Ja, ich hätte auf ihn zugehen, ihn umarmen können, ich hatte mir nicht vorgenommen, es nicht zu tun. Aber ich blieb einfach stehen, sah ihn eigentlich gar nicht, nur dieses Geflimmer um sein Gesicht. Es war eine wilde Bewegung in der Luft, ich glaube, vom Staub, den die Hitze hochwirbelte. Er wußte genau, daß ich sein Sohn war, aber ich wußte nicht so genau, daß er mein Vater war. Ich hatte ihn mir größer vorgestellt, deutlicher in den Umrissen, nicht so bedeckt. Diese sinnlose Windjacke, die man in seinem Alter wohl anzieht, um sich auf der Straße nicht unangezogen zu fühlen.

Bis zu diesem Augenblick hatte ich nur Fotos von ihm gekannt. Er ähnelte diesen Fotos wie Menschen, die man zum ersten Mal sieht, ihren Fotos ähneln: man braucht immer einen Hinweis, ein Datum, eine zusätzliche Angabe. Und obwohl ich bessere Fotos von ihm besitze als die Zeitungen, die ständig angebliche Fotos von ihm druckten, war ich durch sie nicht vorbereitet. Ich identifizierte ihn als den Mann, von dem man gesagt hatte, daß er mein Vater sei, ich erkannte ihn nicht. Die Fotos ähnelten meinem Vater mehr als der Unbekannte, der vor mir stand.

Dann sah ich, daß der Mann in der Windjacke plötzlich zu zittern begann, es waren Tränen in seinen Augen. Ich bückte mich nach der Reisetasche, eigentlich nur, um ihn nicht anschauen zu müssen. Ich wollte endlich ins Haus. Dabei habe ich ihn wohl mit der Hand an der Schulter berührt, wenn auch mehr aus Versehen. Denn – ein lächerliches Detail, aber warum soll ich es auslassen – die Straße, auf der wir uns gegenüberstanden, war nicht asphaltiert. Es war eine Straße aus festgefahrenem Dreck, mit tausend Buckeln und Löchern, und als ich mich vorbeugte, rutschte ich plötzlich nach vorn. In diesem Augenblick umarmte er mich, und ich hielt mich sekundenlang an ihm fest. Warum hätte ich ihn übrigens nicht umarmen sollen? Tausende von Söhnen haben ihre Väter umarmt, gleichgültig, was diese Väter getan haben mochten.

Gar nicht erst hinfahren, sagst du, ihn in seinem Loch dahinsiechen und verrecken lassen, wie er's verdient! Als hätte ich mir diesen Rat nicht selber gegeben! Bis zum letzten Augenblick, bis ich die Gangway zum Flugzeug betrat, sagte ich mir: Absagen, drei Telegrammworte, und ich hab' ihn vom Hals!

Nicht hinfahren wäre zweifellos bequemer gewesen. So bequem und hilflos wie die Behauptung, der Klapperstorch habe mich zu meiner Mutter gebracht.

Ich war auch erschöpft von der Reise und dem konspirativen Getue. Seit Monaten seine Anweisungen: einen falschen Paß besorgen, ein wasserfestes Alibi für die Zeit meiner Abwesenheit organisieren, falsche Spuren legen! Ich nahm seine Befehle als Greisenmarotte und traf dennoch meine Vorsichtsmaßnahmen: mit dem Bummelzug nach Frankfurt, erst dort einen Linienflug nach New York buchen, darauf achten, ob jemand, der mit mir im Zug saß, den gleichen Flug bucht. Von New York nach Rio, erst in Rio den Anschlußflug nach Belem bestellen, darauf achten, ob jemand, der schon im Flugzeug nach Rio saß, dasselbe tut. In Belem mit einer unter den Arm geklemmten Ausgabe der «Badischen Zeitung» die Kontaktperson auf mich aufmerksam machen, ihr notfalls, durch Wegstecken der Zeitung, zu erkennen geben, daß mir jemand folgt. In diesem Fall ein Hotelzimmer nehmen und am nächsten Tag die Rückreise antreten. Und die ganze Zeit, wie eine Wunde, die Adresse im Kopf: Rua Alguem 5555.

Überflüssige Vorkehrungen! Man überschätzt die Geheimdienste, besonders die deutschen. Hätte man meinen Namen im Notizbuch eines Terroristen gefunden, mindestens eine Telefonüberwachung wäre mir sicher gewesen. Was mich und meine Familie betrifft, wir haben in dreißig Jahren nicht einmal eine Hausdurchsuchung erlebt. Und obwohl ich jederzeit damit rechne und mich entsprechend vorsehe, weiß ich inzwischen: ich fühle mich nur beobachtet, ich bin es nicht. Nachträglich kann ich sagen, daß alle von früh an erlernten Vorsichtsmaßnahmen unnötig waren: Räuberspielchen ohne Gendarm! Ich hätte ebensogut – mit der nötigen Voranmeldung – einen Billigflug nach Rio buchen können und ziemlich genau 1800 DM gespart.

Die Mehrausgabe hat mich später geärgert. Die Leute scheinen zu glauben, der Sohn eines prominenten Vaters schwimme in Geld. Aber ich mußte für dieses Wiedersehen, das für mich eher eine erste Begegnung war, ein ganzes Jahr sparen.

Vom Flughafen Belem im Wagen der Weinerts dann in den Norden der Stadt, auf ungepflasterten Wegen, durch endlose Reihen ebenerdiger Hütten, durch ein Gewimmel von Kindern, die nur mit Turnhose und Unterhemd bekleidet waren, und irgendwo dort, zwischen Hunden und halbnackten, dunkelhäutigen Nachbarn, der Mann in der Windjacke, Dr. rer. nat., Dr. phil.

«Schön, daß du gekommen bist», sagte er.

Kann sein, ich habe genickt. Ja, ich war erleichtert, in diesem Augenblick. Es war, wie wenn man aus einem Alptraum aufwacht, aus einem jahrzehntelangen Selbstgespräch im Park eines Irrenhauses. Plötzlich erkannte ich, daß die Gitterstäbe, die sein Gesicht zerteilten, in Wirklichkeit hinter ihm angebracht waren. Er hatte die Fenster seiner gelbgestrichenen Holzbaracke mit starken Eisenstreben gesichert, übrigens eine Schutzmaßnahme, die jeder im Viertel ergriffen hatte, der es sich leisten konnte. Ich sah die tote Palme hinter dem Dach, die armseligen, sicherlich pünktlich begossenen Kakteen vor seinem Fenster: Büropflanzen im Freien. Schließlich die Tür ohne Klinke und in Augenhöhe der winzige Spion, durch den bei uns in Freiburg alleinstehende Rentner prüfen, wer denn endlich zu ihnen will.

Ich hatte mir seine Umgebung anders vorgestellt. Nicht die elektronisch gesicherte Villa, nicht die Leibwächter und Schäferhunde, nicht die schnellen, von Chauffeuren gefahrenen Autos, bezahlt und gewartet von den berühmten mächtigen Helfern, den Geheimdiensten, Militärregierungen, der Organisation Odessa – nicht diesen Zeitungsquatsch. Was ihn vielleicht am besten geschützt hat, war die Phantasie seiner Verfolger. Das Monsterbild, das sie von ihm entwarfen, machte ihn beinahe unsichtbar. Trotzdem erschrak ich, als ich sah, wie er lebte. Rua Alguem 5555 – eine Hundehütte, in der sich ein gehetztes Tier verkroch.

Das Haus innen kahl und lächerlich sauber, ich glaube nicht, daß er sich eine Putzfrau leisten konnte. Bei dem allgegenwärtigen Staub mußte er mehrmals am Tag fegen und wischen, um die Baracke so sauber zu halten. An den Wänden selbstgerahmte Bilder, die die Gegenstände seiner Zuneigung zeigten: Hunde, Blumen, Kinder und immer wieder – mich. Ein Tisch, ein paar Stühle, ein Schrank, ein einziges, schmales Bett. Es war ein Elendsquartier mit der einzigen Besonderheit, daß es unmäßig sauber war. Als wollte es sein Besitzer vom Geruch und von der Berührung der fremden Erde um jeden Preis freihalten. Nirgendwo Flaschen, benutzte Gläser, übervolle Aschenbecher, Stapel von alten, zerlesenen Zeitungen. Nur auf dem Tisch bemerkte ich, ordentlich über die Breite der Tischplatte verteilt, Berge von Notizbüchern, von Handschriftlichem.

Es waren diese Aufzeichnungen, die mich mit einer jähen Hoffnung erfüllten. Die Zeit, die er durch den Zwang, sich zu verbergen, gewann, benutzte er offenbar dazu, sich zu erklären. Irgendwo würde ich auf eine Mitteilung stoßen, auf eine Botschaft, die nur für mich bestimmt war.

Mutter hat eigentlich nie über ihn gesprochen. «Vati», sagten mir alle, «ist in Rußland vermißt» – und nur dieser Formel, nicht eigener Erfahrung ist die Anrede zu verdanken, die ich zuweilen benutze. Als ich anfing, lesen zu lernen, kamen Briefe aus Übersee, von einem Onkel, hieß es, Briefe mit wunderschönen Briefmarken, auf denen eine blonde, engelsgleiche Frau abgebildet war. In den Briefen standen Märchen von Gauchos, Flußfahrten, Pferden und Lagerfeuern im Urwald – ich löste die Briefmarken ab und hob sie auf. Später schrieb mir der Onkel, die wunderschöne Frau auf den Briefmarken, der offenbar all meine Teilnahme gelte, sei inzwischen verstorben.

Von da an habe ich die Briefe kaum noch gelesen. Vielleicht hätte ich sie nie mehr beachtet, wenn Mutter nicht so hastig mit ihnen gewesen wäre. Am Tag, an dem sie eintrafen, waren sie auch schon verschwunden. Einmal habe ich die verkohlten Reste eines Briefes aus Übersee in der Asche des Kohleofens gefunden. Mutter sagte, sie habe im Moment kein anderes Papier zum Anfeuern gehabt.

Danach begann ich, die Briefe des Onkels abzuschreiben. Ich dachte, wenn ich sie nur oft genug läse, würden sie mir ein Geheimnis verraten, etwas Verbotenes, Unerhörtes, das ich nur enträtseln müßte. Aber sooft ich sie nachts im Bett, im Licht einer Taschenlampe, studierte, sie nach Anfangsbuchstaben und Zeilenanfängen neu zusammensetzte, sie erzählten mir nichts.

Später dann, im Gymnasium, merkte ich, daß ich das Geheimnis mit mir herumtrug wie eine Schrift auf der Stirn, die jeder außer mir selber entziffern konnte. Als wäre ich von einer jener tödlichen Krankheiten befallen, die man dem Patienten lieber verschweigt. Irgendein mir selber nicht sichtbarer Makel schien an mir zu haften – aber woran habt ihr ihn erkannt? War es ein Geruch, meine Art zu sprechen, die Kleidung, ein Zucken in meinem Gesicht? Immer wieder habe ich mich im Spiegel betrachtet, ich drehte mich um und um, ich suchte den Fehler und fand ihn nicht. Über Jahre habe ich mich gefühlt wie der Klassendepp, der zur Tafel geht und nicht merkt, daß jemand ein Präservativ auf seinem Rücken befestigt hat. Bis ich auf die lächerlich einfache Lösung stieß: der Name. Nichts weiter als und doch alles: der Name! Diese paar Familiensilben, mit denen das angeblich unbeschriebene Blatt auf die Welt flattert!

Zuerst irritierte mich der Ton, mit dem die Lehrer mich aufriefen – dieses Zögern, dieses Senken der Stimme vor den drei Silben, ganz so, als sei der gut schwäbische Familienname ganz unaussprechbar. Er schien an etwas Schreckliches, vielleicht etwas Großes, jedenfalls an etwas Unaussprechliches zu erinnern, aber woran, das erfuhr ich nicht. Seid ihr damals etwa klüger gewesen? Soviel steht fest: unser Geschichtslehrer hat uns – ich weiß nicht, ob mir oder sich selber zuliebe – den entsprechenden Geschichtsstoff unaufgefordert erspart.

Es war diese von allen geübte Rücksicht, die mich bedrängte. Für eine ungenügende Note in Biologie entschuldigte sich der Lehrer bei mir: Ich dürfe das Ergebnis keinesfalls als eine Zensur über irgendwelche Verwandten auffassen! Wenn ich die Hausaufgaben verschlampte, nannte man mich nicht faul, man sprach von «schwierigen Familienverhältnissen». Kaum eine Rauferei, aus der mich nicht die helfende Hand eines Lehrers befreite. Was kann er dafür, hieß es dann, daß er nicht Müller heißt.

Daß ich in jedem Kampf der Verlierer blieb, lag nicht an der körperlichen Überlegenheit eines Lutz oder Werner, auch nicht an ihrer Bösartigkeit. In der Regel hatte ich sie durch Beleidigungen und Püffe so lange gereizt, bis sie mir Schläge anboten. Aber sobald es zur offenen Schlägerei kam, hinderte mich ein unbegreifliches Zögern daran, den ersten Schlag zu tun, etwas wie ein Nachdenken in den Gelenken. Wehren konnte ich mich erst, wenn ich die Faust meines Gegners im Gesicht spürte oder in seinem Schwitzkasten am Boden lag. Es beruhigte mich, wenn ich das feindliche Gewicht auf mir spürte und die Rechtecke des Parketts vor meinen Augen zu kreisen anfingen.

Nein, ich kann nicht behaupten, daß ich benachteiligt worden wäre. Durch die Angst aller, mich für einen irgendwie ungünstigen Nachnamen büßen zu lassen, war ich zu einem durchwegs Bevorzugten geworden.

Daran änderte sich nicht viel, als Ende der fünfziger Jahre ein Steckbrief erschien. Bis zum Abitur blieb ich vor meinem Namen halbwegs geschützt, denn nur die Erwachsenen redeten mich damit an. Für dich und die meisten Mitschüler war ich «der Wutz», und niemand dachte mehr daran, daß dieser Spitzname in Wahrheit ein Schimpfwort war.

Heitzmann – du erinnerst dich, der vom katholischen Seminar – hatte den Vierfarbenkuli des Biologielehrers geklaut und war dann vergeßlich genug, ihn sogar während des Unterrichts zu benutzen. Natürlich war der silbrig glänzende Stift nicht nur uns aufgefallen, auch der Lehrer erkannte ihn wieder. Zur Rede gestellt, wie er in den Besitz des Kulis gelangt sei, hatte Heitzmann mit dem Finger auf mich gezeigt und dreimal den seltsamen Laut ausgestoßen: Wutz, Wutz, der Wutz hat es getan!

Bis heute weiß ich nicht, ob der Hanseat Heitzmann dieses Wort kannte oder in seiner Not erfand. Ich bin damals, rot bis unter den Scheitel, aufgestanden und habe mich damit schuldig bekannt. Ich verstand das harmlose Schimpfwort als ein Zeichen der Anerkennung, fast als ein Erlösungswort. Jedenfalls habe ich mich rasch an den Spitznamen gewöhnt, wenn auch nie ganz vergessen, daß es für ein Vergehen stand, das ich gar nicht begangen hatte.

Der Spruch von «der Gnade der späten Geburt» war damals noch nicht erfunden und stand mir nie zur Verfügung; ich spürte lange, bevor ich es wußte, daß ich schuldig geboren war.

Ich verkroch mich, ich wurde dick. Keine Lust auf Fußball, Schwimmen, Tanzstunde, Skiwochenende auf dem Schauinsland, den ganzen lauten Gemeinschaftstrott. Stundenlang bin ich durch die Wälder gerannt und empfand nichts als Ekel vor dem saftigen Grün, dem süßlichen, klebrigen Saft der Linden. Immer dieses Gefühl, daß die Bäume lügen, das Gras lügt, der Himmel lügt. Manchmal, wenn ich unter einem Felsen lag und am Stamm einer Fichte hinaufschaute, hinauf zu den Wipfeln, diesen vom Föhn lächerlich aufgeregten Wipfeln, glaubte ich, ich würde gerufen. Jemand rief mich bei einem Namen, den ich noch nie gehört hatte, und ohne Vorbereitung schossen mir Tränen in die Augen.

Ruhig wurde ich, wenn ich Musik hörte, immer dieselbe Musik, das Streichquintett von Brahms, G-Dur, glaube ich. Wenn ich das Cello hörte im langsamen Satz, war es, als würde ich endlich bei meinem wahren, nur mir bekannten Namen gerufen. Die Ränder der Gegenstände lösen sich auf, das Zimmer, das Haus füllt sich mit Wasser, der Körper verliert sein Gewicht, er schwimmt und schlingert, wird hin und her geworfen, aber nicht von den Wellen, sondern von unsichtbaren Strömen tief unten im Meer, in bewußtloser Wachheit hört er die Melodie, die in Klang geschriebene Botschaft, aber er versteht sie nicht, denn die Melodie kommt ja gar nicht von außen, sie erfüllt ihn wie das Wasser den Ertrunkenen.

Meine krankhafte Eifersucht, vielleicht erinnerst du dich. Ich verbot dir regelrecht, dich mit anderen Jungen aus unserer Klasse zu treffen. Ja, ich hielt dich für meinen besten Freund.

Warum hast du mich nie gefragt, was damals, an jenem Julinachmittag, in mich gefahren war? An diesem Tag – es herrschte die für die Jahreszeit typische Schwüle, die sich oft erst nach Tagen in einem Gewitter entlädt – wußte ich plötzlich, daß du mich belogen hattest. Ich kletterte hinten an eurem Haus die Feuerleiter hoch in den dritten Stock, stieg über den Balkon in die Wohnung und ertappte dich dort beim Schachspiel mit Werner, ausgerechnet mit meinem Cousin Werner, dem größten Schleimer und Streber der Schule. Übergroß, funkenstiebend stand ich im Zimmer, ich konnte vor Empörung nicht sprechen, ich dachte, jetzt wirst du dich auf die Knie werfen und um Verzeihung bitten, herkriechen an meine Seite wirst du und schwören, daß du mich nie mehr verraten wirst. Ihr saht euch an und lachtet nur über mich: den dicken, spinnerten Wutz!

Natürlich will ich dir keine Vorwürfe machen. Auch weiß ich: das Gefühl der Verletzung, das ein Ereignis lebenslang im Gedächtnis wachhält, ist kein Bürge für die Verläßlichkeit der Erinnerung. Vielleicht würdest du die Geschichte ganz anders erzählen. Ich erwähne sie eher mir selber zur Warnung. Wahrscheinlich ist unsere Freundschaft nie auf gegenseitige Zuneigung gegründet gewesen, sondern eher auf mein panisches Bedürfnis nach einem Freund, einem zukünftig Eingeweihten.

Dein Anruf neulich – der einzige in zwanzig Jahren – hat mich bewegt, obwohl ich mir über deine Motive keine Illusionen mache. Sicher ist es kein Zufall gewesen, daß dir die Idee zu dem Anruf nach jenem Fernsehauftritt kam, in dem ich mich als Sohn meines Vaters vorstellen mußte und seinen Tod bekanntgab. Ich nehme also an, daß dein Interesse weniger meiner Person als vielmehr dem öffentlichen Fall galt, der ich plötzlich geworden war. Vielleicht gehöre ich zu den Leuten, für die man sich erst interessiert, wenn sie das Opfer einer Katastrophe geworden sind.

Wenn ich trotzdem deine Einladung wörtlich genommen und mich gleich mit dir getroffen habe, so weiß ich keinen besseren Grund dafür anzugeben als die Treue zu einem Freund, den ich mir erfunden habe. Meine verhaspelten Erklärungen in unserem Gespräch, meine nächtlichen Monologe am Telefon – nimm sie als Zeichen dafür, daß ich auf deine oft anklagenden Fragen nicht so schnell antworten kann. Noch die Entfernung, die ich mir beim Schreiben verschaffe, erscheint mir um Lichtjahre zu klein.

Als man dachte, daß ich alt genug wäre, sagte man mir, wer mein Vater ist. Ich weiß nicht genau, wie alt ich damals war, aber ich war nicht alt genug. Ich werde immer zu jung sein, um zu begreifen, wer mein Vater ist. Als ich es erfuhr – ich glaube, es war in einem dieser holzgetäfelten Weinrestaurants am Münsterplatz, nein, ich irre mich, es muß später gewesen sein, als wir längst nach Hause gegangen waren –, entstand eine Stille in mir, für die ein Menschenleben zu kurz ist. «Aufklärung», hatte die Tante mit einem Lächeln zu meiner Mutter gesagt, «heute klären wir ihn auf.»

O sie war schön, diese Tante, die schönste Frau, die ich jemals gesehen habe. Mit ihrer durchscheinenden Haut, dem reinen, engelsgleichen Gesicht glich sie der Frau auf den Briefmarken. Sie teilte nur mit und erklärte nichts, aber ihr Blick gab mir zu verstehen, daß sie mich von nun an als Mann betrachtete. Draußen, in der Küche, hörte ich die idiotische Schwarzwalduhr schlagen, irgendwo, im Haus gegenüber, wurde ein Rolladen heruntergelassen, und plötzlich war nur noch Leere um mich, die ganze Stadt menschenleer, tierleer, pflanzenleer, es gab kein Lebewesen in meiner Nähe.

Es ist alles nicht wahr, dachte ich. Der hier sitzt, bin ja nicht ich, diese Frau ist nicht meine Mutter, es muß eine Verwechslung sein, ein Irrtum wie damals, als die deutsche Luftwaffe die Stadt bombardierte, weil die Piloten das Freiburger Münster mit dem von Straßburg verwechselten. Laßt mich, nehmt einen anderen, ich heiße Wutz!

Kein Sohn wird jemals begreifen, daß er der Sohn dieses Vaters ist. Am wenigsten wird er das in Freiburg begreifen. In dieser Stadt haben die Wochenschaubilder vom Krieg eigentlich immer wie Studioaufnahmen gewirkt.

In derselben Nacht habe ich die Fotos vom Onkel in Übersee, der nun mein Vater war, wieder und wieder betrachtet. Ich sah ihn in einem Geräteschuppen, beim Basteln mit einem Schraubenzieher. In der Krone eines Apfelbaums beim Pflücken. Mit den Kindern der Weinerts an einem Klavier. Als Soldat, mit schmutzverkrustetem Gesicht, im Schützengraben. Wieder mit fröhlich winkenden Kindern in einem Boot. Immer waren Kinder in seiner Nähe: Kinder, Hunde und Blumen. Aber auf keinem dieser Bilder sieht er mich an. Das Gesicht ist von den starken Augenbrauen verschattet, die Augen blicken seitwärts oder nach unten.

Auf einem dieser Fotos bin ich zu sehen. Mein Vater mit Jägerhut und in Lederhosen, seine rechte Hand liegt auf meiner Schulter, im Hintergrund eine Berghütte vor einer Felslandschaft. Mit zwölf Jahren hatte ich ihn, den ich damals noch Onkel nannte, gemeinsam mit meinem Cousin Werner und meiner Tante in einem bayrischen Bergdorf besucht. Aber auch auf diesem Foto sieht er nicht mich, sondern Werner an. Mein Blick, seiner Blickrichtung folgend, fällt ebenfalls auf den Cousin, der zu ihm aufschaut.

Was außer dem Namen hatte ich mit ihm gemein? Was erbt man von einem Vater, den man nicht kennt? Seine Augenbrauen, die Glatze, die Hände, was noch?

In jener Nacht habe ich das Foto, auf dem ich mit Vati zu sehen bin, heimlich verbrannt. Ich sah zu, wie die Flamme den gezackten Rand des Fotos erfaßte, wie sie die Felslandschaft und das Gesicht am Bildrand ausbleichte, wie das Foto sich in der Hitze zusammenrollte. Als ich noch einmal hinschaute, konnte ich nicht mehr unterscheiden, ob es sein Gesicht war oder meines, das ich verbrennen sah.

Es hat Jahre gedauert, bis ich den Fotos von meinem Vater jene anderen zuordnen konnte, die – ich zögere vor dem Anführungszeichen und fühle mich als Rechtsanwalt und Sohn des Beschuldigten dennoch dazu verpflichtet – «seine Opfer» zeigen. Ich habe die einen und die anderen niemals nebeneinander gelegt. Ich mußte mich entscheiden, zwischen den Familienfotos und den anderen.

Was die letzteren angeht: ich kann und werde das Verbrechen, das sie bezeugen, niemals leugnen, wenn ich auch zugeben muß, daß ich bis heute nicht fähig bin, sie in allen Einzelheiten zu erfassen, da mich, wo immer ich ihnen begegne, ein blind machender Schwindel erfaßt – eine Schwäche meiner Konstitution, ein Schutz – oder Fluchtreflex, mag sein, ich kann das nicht ändern. Aber warum soll ich mich diesen Fotos hundertmal öfter aussetzen als andere? Warum muß ich immer wieder und bei jeder Gelegenheit beteuern: Ja, ich hasse die Lager!

Die Fotos dokumentieren ein deutsches Verbrechen, für das die Geschichte der Menschen kein Beispiel nennt, aber sie zeigen nicht den Verbrecher. Und obwohl ich bis heute nicht zweifelsfrei weiß, welchen Anteil mein Vater an diesem Verbrechen hatte, steht dies für mich fest: kein einzelner, nur ein ganzes Volk ist in der Lage, ein ganzes Volk auszulöschen.

Damals geschah etwas Seltsames mit mir. Der Schreck, der Ekel, der mich ergriff, wenn ich nur meinen Namen hörte, verwandelte sich nun, da ich das Geheimnis kannte, in Trotz. Die ganze Welt war hinter meinem Vater her, Millionen kleiner Täter suchten den einzigen, allmächtigen Täter, um selber unschuldig zu sein. Sie würden ihn hängen, ohne ihm eine einzige Frage zu stellen. Ich aber wußte nun, daß er lebte, wo er sich versteckte, und ich war entschlossen, dieses Geheimnis gegen die ganze Welt zu verteidigen.

In dieser Zeit fing ich an, ihm Briefe zu schreiben. Ich teilte ihm mit, daß ich nun zum Kreis der «Eingeweihten» gehörte und bereit sei, meinen Vatersnamen anzunehmen. Gleichzeitig bat ich ihn, alle Rücksichten, die er bisher auf meine Jugend genommen hatte, fallenzulassen, ich bot mich als Freund und Gesprächspartner an. Nicht Geständnisse erwartete ich, sondern Hinweise, die mir erlaubten, ihn zu verstehen, ihn womöglich zu verteidigen.

Seine Antworten befremdeten mich. Obwohl ich zunächst jedes anklagende Wort vermied, schrieb er mir Briefe, die eher an einen Staatsanwalt als an einen Sohn gerichtet schienen. Ein offizieller, ja feindlicher Ton entstand. Er antwortete auf Vorwürfe, die ich gar nicht erhoben hatte: «Ich nehme zur Kenntnis, daß ich Respekt und Verständnis für meinen Lebensweg von Dir nicht erhoffen kann. Andererseits sehe ich nicht die geringste Veranlassung, Dir für irgendwelche Entscheidungen, Handlungen oder gar für meine Philosophie Rechenschaft abzulegen!» Unversehens geriet ich in die Rolle desjenigen, der sich rechtfertigen mußte und Antworten schuldig blieb, und er war es, der mich mit Ratschlägen und Vorwürfen bedrängte. Es kam soweit, daß ich mich, bei jeder Bewegung eigentlich, von den Augen meines fernen Vaters beobachtet fühlte.

Ist dir der plötzliche Wechsel in meinem Betragen nie aufgefallen? Von einem Tag auf den anderen habe ich doch das kragenlose Baumwollhemd, das wir beide, damals James-Dean-Verehrer, trugen, als Zeichen der «amerikanischen Unkultur» verworfen – ein Urteil zitierend, das mein Vater über ein Klassenfoto abgab. Meine plötzliche Ausdauer beim Langlauf, die Übungen mit dem Expander – kam dir nie eine Frage? Durch einen Vergleich mehrerer Fotos hatte mein Vater entdeckt, daß ich dazu neige, die Schultern hängen zu lassen, und noch aus der Ferne spürte ich den väterlichen Puff im Rücken, der dazu aufforderte, mich gerade zu halten, Sport zu treiben. Meine Zeugnisse, besonders die Noten in Latein und Griechisch, enttäuschten ihn regelmäßig. Schon in der Tertia, ließ er mich wissen, habe er die «Odyssee» im Original zu lesen vermocht und könne noch heute auf jede Übersetzung verzichten. Er wollte, ohne Ausnahme, wissen, welche Bücher ich lese. Aus seinen Antworten ersah ich, daß er sie mitlas. Dauernd kam er mit neuen Empfehlungen. Albert Camus: Sisyphos, Jacques Monod: Zufall und Notwendigkeit, Konrad Lorenz: Sämtliche Werke.

Am schmerzlichsten traf mich ein Satz meines Vaters über die Briefe, die Werner und ich ihm zum Weihnachtsfest 1960 geschrieben hatten. Meine Tante zögerte nicht, mir sein Urteil im Münstercafé zu hintertragen. «Sehr lieb die Zeilen von Werner», so zitierte sie, während ich die neugierigen Blicke der Gäste spürte, die dem Begleiter einer so schönen Frau galten, «mein eigener Sohn hat nur Pflichtworte für mich übrig!»

O die kluge, ihrer Wirkung immer sichere Tante! Mit einem einzigen Satz hatte sie mich wieder zum Briefmarken sammelnden Kind gemacht. Ihr Sohn Werner, der Liebling der ganzen Verwandtschaft, der Schülerstar und ausersehene Führer des Familienunternehmens, das im Frieden Landmaschinen und im Krieg Rüstungsgüter herstellte, dieser Schmeichler und Anpasser verdiente sich also die Liebe meines Vaters, während ich nur Kälte hervorrief! Dabei hat niemand in dieser Verwandtschaft meinem Vater je eine Frage gestellt, niemand wollte genauer wissen, warum eigentlich und ob er womöglich zu Recht verfolgt war. Man befaßte sich ausschließlich mit der betrieblichen Seite des Problems. Die Familie hatte meinen Vater gedrängt, auf seinen – und damit auch meinen – Erbanteil zu verzichten, um im Fall seiner Ergreifung die Schadensersatzforderungen jüdischer Kläger abzuwenden. Zum Ausgleich für den Millionenverzicht ließ man ihm eine monatliche Unterstützung von 300–500 DM zukommen.

«Was hast du nur angestellt», sagte die Tante mit einem Blick, der mich zurechtwies und auch betörte. «Wenn du schon Fragen hast, warum fragst du nicht mich?»

Zu diesem Zeitpunkt wußte ich noch nicht, wie eng ihr Schicksal mit dem meines Vaters verflochten war. Offenbar hielt sie mich nun für reif, mir auch dieses Geheimnis anzuvertrauen.

Zwei Jahre nach dem gemeinsamen Urlaub in den bayrischen Alpen war die damals schon verwitwete Tante mit ihrem Sohn Werner nach Argentinien gereist und hatte dort meinen Vater geheiratet. «Eine Liebesheirat», erklärte sie; ich erinnere mich an dieses Wort. Wenig später, als mein Vater seinen Fluchtort verlassen mußte, weil die Fahnder auf seine Spur gestoßen waren, war sie nach Europa zurückgekehrt und begnügte sich seither mit Briefkontakten.

«Du sprichst also», so schloß sie, «mit einer Tante, die gleichzeitig die Frau deines Vaters ist.»

Diese Eröffnung verwirrte mich vollends. Wenn diese Frau, die jedem Mann im Umkreis der Familie den Kopf verdrehte, sich nachträglich, in voller Kenntnis der Anschuldigungen, für meinen Vater entschieden hatte, wie konnte ich mir dann anmaßen, ihm Fragen zu stellen?

Um so härter trafen mich seine Ermahnungen. Er rate mir dringend, schrieb er, den Doktor zu machen. Überhaupt sei ich zu oberflächlich, zu seicht, studiere zu lange. Mein Stil zeige die Spuren jenes «spießigen, pseudokosmopolitischen

Miefs», in dem ich leider aufwachsen müsse. Ich solle heiraten, eine Familie gründen. Ob ich meine Verlobte endlich «eingeweiht» hätte: sie habe ein Recht darauf, ihren künftigen Schwiegervater zu kennen. Seine sarkastische Antwort, als ich mich dafür entschuldigte, daß ich ihn immer noch nicht finanziell unterstützen könne: «Die Sorge um meinen Unterhalt soll Dich nicht kümmern. Da Du so schwer an Deinem Namen zu tragen scheinst, möchte ich Dir weiß Gott keine zusätzlichen finanziellen Lasten aufbürden. Ein bis zwei Briefe pro Jahr – ich schlage Weihnachten und meinen Geburtstag vor – wirst Du schon schaffen!»

Manchmal habe ich ihn gehaßt. Du sagst, ich hätte nicht auf ihn hören müssen, hätte mich – wie hieß es damals – von ihm «emanzipieren» sollen! Es gab ja, Ende der sechziger Jahre, Kommilitonen wie dich, die von ihren Erzeugern nichts weiter annahmen als Geld und nur ein Lebensziel zu verfolgen schienen: nicht so zu werden wie ihre Väter! Und ich erinnere mich genau, wie du mit Siegerlächeln von deinem «Vatermord» erzählt, wie du mir das fotokopierte Beweisstück vorgelegt hast, das du damals statt eines Identitätspapiers bei dir trugst: einen Artikel deines Vaters aus dem Jahr 43, auf den du nach jahrelangem Forschen in einer DDR-Dokumentation gestoßen warst. Der Wortlaut dieses Artikels ist mir entfallen. Aber die Art, wie du aus bloßen Anklängen an den Wortschatz des Nationalsozialismus die «faschistische Gesinnung» deines Vaters erschlossen hast, ist mir nichts weiter als vorlaut und lieblos erschienen. In meinen Augen hast du damals nicht deinen Vater, sondern dich selbst entlarvt. Als du mir dann noch erklärt hast, dein «Alter» sei nun für dich «gestorben» und jede Verbindung zu ihm abgebrochen, habe ich nur gedacht: bis auf den Monatsscheck, den nimmt er!

Damals wurde mir klar, daß es einen wichtigen Unter-
schied zwischen uns gibt. Es ist vergleichsweise einfach, sich
von einem Vater loszusagen, der sich nach dem Krieg als
Mitläufer durchschwindeln konnte und einer Pension in
Ehren entgegendämmert. Als ich von der Existenz meines
Vaters erfuhr, war eine fünfstellige Summe auf seinen Kopf
ausgesetzt. Der mir zugeteilte Vater war nicht etwa Richter,
Studienrat, Staatssekretär, Bundeskanzler, UNO-General-
sekretär geworden, sondern der meistgesuchte Mann der
Welt. Für den Sohn eines solchen Vaters gab es nichts zu
entdecken, auszuschnüffeln, zu entlarven. Ich hatte nur die
Wahl, meinen Vater zu decken oder ihn zu verraten.

Über den Durchschnittsfall namens Mitläufer will ich mit
dir nicht streiten. Aber vielleicht siehst du mir nach, daß ich
im Mitläufer nur einen Täter erkennen kann, der aus Mangel
an Gelegenheit nicht zum Mörder wurde, vielleicht auch
nur aus Berechnung.

Jedenfalls habe ich damals, als du mir von der «endgülti-
gen» Lösung deines Vaterproblemchens erzählt hast, nichts
weiter als Haß empfunden, Haß und ein seltsames Überle-
genheitsgefühl. Es war mir, als hätte ich allein und als einzi-
ger eine Last zu tragen, von der ihr alle nur geredet habt. Mit
dem Ausbruchsversuch von 68, der sich in unfreiwilliger
Selbstanzeige «Bewegung» nannte, habe ich sympathisiert.
Die Hoffnung aber, ich könnte mich durch ein paar hastig
erlernte Zitate von Mao und Che Guevara von meinem Vater befreien, war mir nie erlaubt. Einen Vorwurf zumindest
konnte ich ihm nicht machen: im Gegensatz zur überwälti-
genden Mehrzahl seiner Schicksalsgenossen hat er seine
Überzeugung niemals geleugnet. In seinem Weltbild, das er
mir in fast jedem Brief aufdrängte, entdeckte ich nicht die
geringste Lücke, in der ein Zweifel hätte Platz finden können. Es war seltsam: der am meisten gehaßte und verachtete

Mensch forderte von mir nicht nur Respekt, sondern Gefolgschaft.

«Seit Jahren habe ich auf diesen Augenblick gewartet», sagte mein Vater, «und bis zuletzt fürchtete ich, dich würde der Mut verlassen.»

Er räumte die Geschenke beiseite, die ich aus Deutschland mitgebracht hatte: Ovids Elegien, einen Elektrorasierer, ein paar Zeitungsartikel, die in Deutschland über meinen Vater erschienen waren – ich glaube, er hat sie nicht einmal angesehen. Sicher erinnere ich mich an die Aufschrift «Riegeler» auf dem Etikett der Bierflasche, die er vor mich hinstellte, ein in dieser Weltgegend unwahrscheinliches Markenzeichen.

Ich weiß nicht, was ich geantwortet habe. Ich weiß nicht, wie wir die ersten Stunden im Haus verbrachten. Oder ich weiß es, aber alles, was sich darüber sagen ließe, wäre nur der erbärmliche Rest, für den man die Worte findet, wenn der Absturz vorüber ist.

Was ich in Belem wollte, habe ich dir erklärt. Ich wollte ihn zur Rede stellen, ihn dazu bewegen, sich vor einem deutschen Gericht zu verantworten. Heute weiß ich, daß diese Erklärung eher dazu taugt, mein Vorhaben zu verschleiern. Ich wollte ihn stellen, ihn mit dem Recht meines schuldlos schuldbeladenen Lebens zu Fall bringen. Nein, ich will es mit einfacheren, ebenso falschen Worten sagen: ich wollte durch ihn erlöst werden – oder mich und die Welt von ihm erlösen.

Es gelang mir nicht einmal, ihn anzuschauen. Jedesmal, wenn ich es versuchte, verlor sein Gesicht die Konturen wie auf dem brennenden Foto, wurde weiß und verschwand. Aber vielleicht war es gar nicht die Furcht vor seinem Anblick, die mich schwindlig machte. Es waren die Laute,

Wörter, Sätze, die seine Stimme hervorbrachte, es war seine
Stimme. Mit der Stimme eines Verschütteten, die sich erst
langsam von Staub und Geröll freisprechen muß, hörte ich
ihn Sätze bilden, die mir wie Übersetzungen aus einer ver-
gessenen Sprache erschienen. Von den «Irrfahrten eines
Verschollenen» redete er, von den Sorgen, die er sich in all
den Jahren um mich gemacht habe, von seinen verzweifel-
ten, sicher auch ungeschickten Versuchen, aus der Ferne
«Korrekturen» an meiner Entwicklung «anzubringen».
Damals, als er von der Familie erfahren habe, daß ich «auf-
geklärt» sei, habe er um mich gezittert. Gerade in dem kleinen, betulichen Freiburg, wo ein «spießiger Konsens» und
der Katholizismus jeden kühnen Gedanken ersticke, habe er
einen «Kniefall» des Sohnes vor der Meinung der «viel zu
Vielen» befürchtet. Nun aber sehe er, daß mein «Wille zur
Erkenntnis» stärker sei als der Wunsch nach «feiger Über-
einstimmung», wenn ich auch sicher noch nicht erahnte, auf
welches «geistige Wagnis» ich mich mit meiner Reise einge-
lassen habe.

Ich hörte diese Sätze wie Geräusche, ich verstand sie
nicht. Und plötzlich wußte ich: ich könnte ihm widerspre-
chen, den gemeinsamen Namen aus allen Identitätspapieren
streichen, meine Herkunft verleugnen, mein Gesicht um-
wandeln lassen, aber niemals würde ich mich von dieser
Stimme befreien, von diesem ewigen, albern widerspre-
chenden und doch nachäffenden Echo, das aus meiner Brust
kommt.

«Warum versteckst du dich?» sagte mein Vater plötzlich.
«Du wolltest doch ein Gespräch: das berühmte Frage- und
Antwortspiel! Fang an!»

Von Berufs wegen bin ich mit allen Techniken des Verhörs vertraut, und ich hatte mir lange vor meiner Reise
eine Gesprächsstrategie zurechtgelegt. Da ich nicht hoffen

26

konnte, die Wahrheit zu erfahren, wenn ich ihn in die Enge trieb, wollte ich ihn zunächst aus der Position eines einfühlsamen Sohnes befragen. Ich wollte seine Hoffnung, der einzige Sohn würde ihm, wenn schon nicht Sympathie, so doch Verständnis entgegenbringen, wieder beleben und dann für meine Zwecke ausnutzen. Falls ihn diese Hoffnung zu einem Geständnis bereit machte, wollte ich die Rolle des Unwissenden und Neugierigen aufgeben und ihn Punkt für Punkt zu den Anklagen der Zeugen vernehmen, ihm jede Ausflucht verstellen.

Aber auch mein Vater hatte sich auf das Verhör vorbereitet. Mir schien, er hatte seit dem Tag meiner «Aufklärung» nichts anderes getan. Seine Taktik war es, meine Vorstöße auf ihren «philosophischen Kern» zurückzuführen und mich in eine Grundsatzdebatte über meine eigene Weltanschauung zu verwickeln. Vorsichtige Erkundigungen über seinen Weg zur SS, über seine Zeit an der Ostfront, über seine Tätigkeit im Lager beantwortete er mit einem solchen Wust von philosophischen und «wissenschaftlichen» Erläuterungen, daß ich fürchtete, intellektuell überrannt zu werden. Die ganze Zeit, während er mit entsetzlicher Sicherheit seine Sätze türmte, sah er mich lauernd an. Er wußte, daß meine Versuche, sein Denken und seine Motive einzukreisen, auf seine Taten zielten, er wartete auf meinen Angriff.

In jener Nacht, ich weiß nicht mehr wann, jedenfalls in einem Augenblick, da ich bereits erschöpft war, habe ich ihm schließlich die Frage gestellt, die ich für mich immer wieder zugespitzt, erweitert, verworfen und neu zugeschliffen hatte. Ja, ich habe an dieser Frage gearbeitet wie ein Verbannter, der mit bloßen Händen aus einem Felsblock eine Axt zu bilden versucht.

Ich wußte, er würde mich nicht ausreden lassen. Ich habe

sogar auf seine hochfahrende Reaktion gehofft, auf diese empörte und zurechtweisende Gegenfrage, die mich sogleich zur Rechtfertigung zwang: Ob ich immer noch glaube, jemals geglaubt habe, was über ihn gesagt und geschrieben werde. Ob ich nicht erkenne, daß man ihn nicht für angebliche Taten, sondern für sein Wissen verfolge!

Der dumme Instinkt, in dem nur das Blut denkt, wollte mich dazu verleiten, meinen Vater und mich mit dieser Antwort davonkommen zu lassen. Ich hoffte ja, er könnte mich überzeugen. Aber falls er kein Mörder war, brauchte ich sichere Gründe, ihn zu entlasten. Und so geschah es, daß ich meinen Vater verhörte, wie es ein Staatsanwalt getan hätte.

Ich bringe es jetzt nicht fertig, dir alle Anklagen zu wiederholen, die sich mir in zwei Jahrzehnten ins Gedächtnis gebrannt haben. Ich will auch nicht leugnen, daß mir im Angesicht meines Vaters viele, vielleicht die furchtbarsten Einzelheiten entfallen, genauer gesagt: unaussprechlich geworden sind – Zeugenaussagen, die meinen Vater als Verwalter und Vollstrecker eines millionenfachen Mordes anzeigen. Dies muß hier genügen: ich habe in jener Nacht, in der nur die Lichter vorüberfahrender Autos das Zimmer erhellten, meinem Vater Fragen gestellt, die niemals zuvor ein Sohn seinem Vater zu stellen gezwungen war.

Endlich still im Zimmer, das Summen des Ventilators, das langsame, ruhige Atmen des Vaters, von draußen das Gekläff streunender Hunde. Nur eine einzige Bewegung machte mich sicher, daß alles kein Selbstgespräch war, keine Szene aus einem meiner Freiburger Alpträume: Es war ein kaum hörbares Reißen und Bröseln, ja, plötzlich sah ich es deutlich: mein Vater zerfetzte winzige Streifen Zeitungspapier, rollte sie zwischen den Fingern zusammen und schnippte sie über den Tisch. Gleichzeitig fiel mir ein, daß ich von dieser Angewohnheit in einem Steckbrief gelesen hatte.

Plötzlich, die ganze Bewegung seltsam verzögert, sah ich ihn aufstehen, sah, wie er den Oberkörper mir über den Tisch entgegenneigte, mir seinen Arm, als sollte ich ihn ergreifen, entgegenstreckte, und dann schwor er, mit den drei erhobenen Fingern der rechten Hand, daß er niemals in seinem Leben einen Menschen getötet, niemals jemandem persönlich etwas zuleide getan habe. «Beim Augenlicht deiner Mutter», sagte er, und ich konnte, obwohl ich doch spürte, daß er das seltsame Schwurwort nur mir zuliebe erfand, ein Weiterspringen meiner Gedanken nicht hindern: «Augenlicht» – was für ein Wort!

In diesem Augenblick habe ich ihm geglaubt. Warum hätte er den einzigen Menschen, dem er sich anvertrauen konnte, belügen sollen? Es war durch Jahrzehnte erwiesen, daß ich ihn niemals verraten würde. Was mich störte, entsetzte, war das Wort «Augenlicht».

Ein Geräusch lenkte mich ab, und als ich es hörte, wußte ich, daß ich seit meiner Ankunft darauf gewartet hatte: Motorengeräusch, das unmittelbar vor dem Haus verstummte. Sie würden nicht an die Tür klopfen, sie würden auf leisen Sohlen das Haus umschleichen, und wenn sie, durch ein Megaphon, das Wort an uns richteten, würde man ihre Gesichter nicht sehen, nur ihre Gewehre im Fenster. Sie waren mir also gefolgt, wahrscheinlich von Anfang an. Ich hatte ihnen den Weg gewiesen, und nun waren sie gekommen, um sich das Kopfgeld zu verdienen. Was mich von meinem Vater trennte, war endlich gleichgültig geworden. Jetzt zählte nur noch ein Unterschied: wer drinnen war und wer draußen.

Auch mein Vater muß seit langem auf dieses Geräusch

gewartet haben, seit dreißig Jahren vielleicht. Ohne ein Zögern sah ich ihn zur Tür gehen, er blickte nicht durch den Spion und öffnete die Tür wie jemand, der zu stolz ist oder zu müde zur Flucht.

Die Weinerts kamen herein. Sie brachten Wein und eine Gemüsesuppe – «eine brasilianische Spezialität», wie Frau Weinert versicherte – und verwandelten den Raum mit ihren lauten Stimmen und ihrer Betriebsamkeit sogleich in ein deutsches Schrebergartenhäuschen. Ich kann nicht sagen, daß ich erleichtert war. Mich störte ihr betreuerisches Getue, die Selbstverständlichkeit, mit der sich Frau Weinert in der Küche zu schaffen machte. Herr Weinert wußte sofort, wo der Korkenzieher lag, und öffnete mit gespieltem Ächzen und Stöhnen die Weinflasche. Mein Vater fügte sich widerstandslos in die Behandlung. Er schien sie jedoch nicht als Fürsorgedienst an einem Gebrechlichen zu verstehen, sondern als Privileg. Ich begriff, daß er in diesem Kreis der Wortführer und Sprachgeber war.

Die folgenden Szenen also, die mir zunächst wie Zitate aus einem italienischen Nachkriegsfilm erschienen, spielten sich ab unter dem Dach meines Vaters: dreißig Jahre nach Kriegsende.

Während Frau Weinert den Tisch deckt, läuft ihr Mann im Zimmer umher, der Scheitel ist frisch gezogen, der Nakken ausrasiert. Herr Weinert – ein Handwerker mit höheren Neigungen – verwickelt den «Doktor», den er nach so vielen Jahren immer noch siezt, in ein Gespräch über die Echtheit eines Shakespeare-Sonetts, das er prompt falsch zitiert; gehorsam hält er inne, wie ihm der «Doktor» das Wort abschneidet. Im Gedächtnis bleibt das andächtige Nicken, mit dem Herr Weinert die nun folgende Rezitation und jede weitere Äußerung seines Meisters begleitet. Andererseits entgeht dem «Doktor», daß die Weinerts seine Belehrungen mit nachsichtigem Lächeln hinnehmen. Das anschließende Geplänkel über sogenannte «erlebnisfähige Werte» – man nennt Begriffe wie «Volk», «Artung», «Rasse», «Ruf der Geschichte» – hat etwas Rituelles, ja, einen therapeutischen Impetus: die Pfleger wollen den Patienten nicht merken lassen, daß er nicht mehr ganz richtig im Kopfe ist. Vor allem Frau Weinert tut sich hervor, indem sie dem «Doktor» jeden Handgriff abnimmt, ihm sogar die Weinflasche entreißt, um ein Danebentropfen beim Nachschenken zu vermeiden. Der so Betreute rächt sich, indem er jede Handreichung der Weinerts mit Kommandos begleitet: «Nicht dieses Glas, sondern das mit dem Weinblattmuster!» oder «Nicht wackeln und dackeln, das Glas voll rackeln!» und, das volle Glas gegen das Licht haltend: «Im Besitze der Familie Wallenstein ist mehr Gallenstein als Edelstein.»

Als sie sich von ihrem Lachen erholt hat, spricht Frau Weinert den «Neffen aus Deutschland» auf die «Hinrichtung» der «Stammheimer Terroristen» an. Dessen Hinweis, daß die Todesstrafe im westlichen Teil Deutschlands bekanntlich abgeschafft ist und die vier nach dem Urteil der Gutachter Selbstmord begangen haben, entlockt Frau Weinert nur ein fröhliches Lachen. So naiv könne niemand sein! Natürlich seien die vier umgebracht worden, und: «Höchste Zeit». Endlich einmal habe der Staat Flagge gezeigt.

Der Einwand, diese These werde in Deutschland nur von linksextremistischen Kreisen vertreten, regt den «Doktor» zu einem lateinischen Sprichwort an, das Herr Weinert – wiederum falsch – seiner Frau übersetzt: «Fürsten sagen die Wahrheit!» Der «Doktor» nutzt die Gelegenheit zu einem Bekenntnis: Es sei gar nicht so schwierig, unbeirrbar seinen Weg zu gehen, wenn man unbefangen beobachte, was in der Welt seit Kriegsende vorgehe. Dabei würden «richtig» und

«falsch» zu bedeutungslosen Begriffen, wie es eben auch in
der Natur kein «gut» und «böse» gebe. Entscheidend sei
allein die «existentielle Notwendigkeit», aus der ein Volk
handle.

Erspare mir weitere Einzelheiten. Ein Name, ein Titel hat
sich mir eingeprägt, weil er, von Herrn Weinert und in
diesem Elendsquartier gesprochen, sich zuerst wie ein Hör-
fehler ausnahm: Herr Weinert erkundigte sich nach der
«Odyssee» meines Vaters, ein autobiographisches Roman-
fragment offenbar – und mein Vater schwieg plötzlich wie
ein Schüler, der nicht zugeben will, daß er seine Schularbei-
ten nicht gemacht hat.

Vom Weiteren blieben nur Satzfetzen in meinem Ohr, die
sich in einem wilden Wirbel um ein einziges Wort gruppier-
ten. Es ist ja nicht wahr, dachte ich, da ist keine Lichtquelle
in den Augen! Man kann etwas beim «Licht» der Sonne
beschwören oder bei den «Augen» eines geliebten Menschen – das Wort «Augenlicht» ist eine Behauptung wie
Gott.

Mein Vater wirkte müde, als die Weinerts gegangen waren;
lange saßen wir stumm. Ich weiß nicht mehr, ob ich meine
Zweifel durch einen Vertrauensbeweis niederkämpfen oder
nur meine Körperstellung ändern wollte: jedenfalls zog ich
plötzlich, ganz ohne Zusammenhang, meine Brieftasche
hervor und zeigte meinem Vater ein Bild meiner zukünfti-
gen Frau. Mit einem langen Blick umfaßte er ihre Gestalt; es
war das erste Mal seit meiner Ankunft, daß ich ein Zögern,
ein Abwarten an ihm bemerkte. Ich folgte seinem Blick, als
er das Foto näher an die Augen heranführte, und während
ich ihn fragen hörte, wo sie geboren sei, woher ihre Eltern
stammten, war es, als sehe ich meine Verlobte mit seinen
Augen. Wie zum ersten Mal erkannte ich, daß sie blond war,

blond und blauäugig, ich sah, wie auf einem Röntgenbild, den eckigen, steil aufschießenden Knochenbau ihres Schädels, die vorspringenden Backenknochen, und ich hörte die Stimme meines Vaters, die mir zu meiner Wahl gratulierte: Endlich habe sich ein Sproß unseres Stammes eine Frau jenseits des «nördlichen Grenzflusses» erwählt, und man dürfe sich von den «neuen Kombinationen das Beste erhoffen».

In diesem Augenblick schoß der Stau in meinem Kopf zu einem einzigen Impuls zusammen. Ich beugte mich in einer lächerlich zitathaften Bewegung über den Tisch, streckte beide Arme nach meinem Vater aus und fühlte plötzlich seinen Hals in meinen Händen. Nein, ich wollte ihn nicht umbringen, wollte weder mich noch irgendein Opfer rächen, ich wollte ihn nur zum Schweigen bringen, ihn schütteln, ihn würgen, um ihn endlich einmal zweifeln zu sehen. Ich wollte diese unerträgliche Ruhe aus seinen Gliedern herausrütteln, erschrecken wollte ich ihn, wie man ein Kind erschreckt, indem man es anbrüllt.

Ich tat nichts dergleichen. Ich sah ihn nur an. Ich weiß nicht, ob er die Gefahr spürte. Jedenfalls las ich keine Angst in seinen Augen, eher etwas wie Anteilnahme, fast Mitleid mit einem Sohn, der spät und ungeschickt einen unmöglichen Auftrag erfüllt. Die Welt würde mich feiern und mit vollständiger Absolution belohnen, die Überlebenden würden an meinem Bett sitzen und meinen Schlaf bewachen, und plötzlich sprang mein Gefühl um. Ja, statt meinen Vater habe ich in diesem Augenblick die Opfer gehaßt, die sich, nur von einem Dutzend SS-Schergen bewacht, zu Tausenden in die Todeskammern führen ließen und mich, ausgerechnet mich, zu ihrem Rächer ernannten. Aber mehr noch als sie habe ich die Verfolger meines Vaters gehaßt. Daß sie nicht einmal jetzt, da ich ihnen den

Weg gewiesen hatte, die Tür aufbrachen und mich befreiten! Hätten sie ihn doch endlich gefaßt und vor Gericht gestellt, hätte ich mitanschauen müssen, wie er unter der Last der Beweise verstummte, vielleicht hätte ich mich dann endgültig von ihm abwenden können; mir hatte dieser Mann nichts getan als mich zu zeugen.

Ich weiß, du hast heimlich gehofft, du erwartest, ich könnte dir von dieser sekundenlang möglichen Tat berichten, sie sei wirklich geschehen. Aber ich mußte in jener Sekunde begreifen: wir sind, wie immer wir uns dazu verhalten, die Söhne und Töchter der Täter, wir sind nicht die Kinder der Opfer.

Ich weiß nicht mehr, was ich sagte, als ich vom Tisch aufstand und ging. Ich weiß nur, daß ich einen Verdacht in seinen Augen aufblitzen sah, als ich mich an der Tür, die Klinke schon in der Hand, nach ihm umdrehte. Laß mich gehen, ich will nur die Luft, den Wind, den Geruch dieses Landes spüren, irgend etwas Gegenwärtiges, verraten muß dich ein anderer!

Bevor ich dies oder etwas Ähnliches sagen konnte, war er bei mir. Er muß unbemerkt Schuhe und Windjacke ausgezogen haben und mit raubtierhafter Geschwindigkeit an die Tür gelangt sein, wie durch einen Sprung über den Tisch. Ich spürte seinen Atem in meinem Nacken; als ich ihn anblickte, konnte ich nicht unterscheiden, ob er mich daran hindern wollte, ihn anzuzeigen oder ihn zu verlassen. Unwirklich groß und mächtig stand er vor mir. Ich sah seine kräftigen, behaarten Arme in dem kurzärmligen Hemd, ich erkannte eine entsetzliche Kraft in diesem Körper, etwas Unberechenbares, Gewalttätiges, und plötzlich schob sich mir – scharf und deutlich, als könnte ich selbst diese Vorgänge bezeugen – ein Bild vor die Augen. Ich sah einen gepflegten, immer ruhigen Mann in SS-Uniform, der, durch eine einzige unerlaubte Bewegung zu wahnsinniger Wut gereizt, ohne Vorwarnung den Kopf eines Gefangenen mit dem Knauf seiner Dienstpistole zerschlägt oder mit seinen Stiefeln den Bauch einer Schwangeren zertritt. Gleich, dachte ich, wird er die Schuhe, die er in der Hand hält, fallen lassen und sich auf mich werfen.

~ Statt dessen machte er eine Bewegung, die mich so verblüffte, daß ich stehenblieb und ihm zusah, bis er ans Ende seiner Verrichtung gelangt war. Er bückte sich nach einer Schachtel in der Anrichte neben der Tür, holte eine Bürste hervor und begann, seine derben, viel zu schweren Schuhe abzustauben. Ich sah zu, wie er die Paste verteilte und die Tube mit der zitternden linken Hand wieder verschloß, bevor er die Schuhe einschmierte und mit einem Lappen blank rieb.

Er blickte nicht auf, als ich ging. Er bat mich, zurückzukommen, er schlafe nicht gern allein.

Sofort waren Hunde um mich. Ein tropischer Regensturz hatte die Erde aufgeweicht. Ich lief durch verschlammte, von Regenbächen zerklüftete Straßen; durch die Fenster sah ich das bläuliche Licht der Fernseher, innen nur halbhohe Wände, die Küche, Wohn- und Schlafzimmer voneinander trennten, Moskitonetze über den Wiegen. Zwischen den Holz- und Wellblechhütten gab es hin und wieder Zementhäuser, aus denen die verrosteten Drahtstümpfe für einen zweiten Stock ragten, Zeichen für ein nie eingelöstes Versprechen. An mir vorbei rasten Busse, die, von Wahnsinnigen gelenkt, über metertiefe Risse sprangen, hineinfuhren in Knäuel von Kindern, die im letzten Augenblick zur Seite sprangen, sich gleich wieder sammelten und die Fahrrinne unsichtbar machten. Überall der Geruch verbrannter Ab-

fälle, in denen halbnackte Wesen mit langen Stöcken sto-
cherten.

Im Laufen stieß ich an fremde, vom Regen oder von
Schweiß nasse Menschenkörper, die mir flink wie Tiere aus-
wichen. Mit der Schulter rammte ich einen Leitungsmast;
ich spürte den Wunsch, hinaufzusteigen, die Leitung zu be-
rühren. Ich verzögerte meinen Schritt, als ich eine Gruppe
Halbwüchsiger bemerkte, die sich etwas zutuschelten; ich
hoffte auf einen Überfall.

An den Asphaltflecken, die plötzlich die Straße bedeck-
ten, an der Überzahl mehrstöckiger Häuser merkte ich, daß
ich in ein anderes Viertel gelangt war. Immer öfter bildeten
sich Halbinseln heraus, die den Strom der Fußgänger vor
kleinen Geschäften stauten; aus den Schaufenstern fiel Licht
auf die Gesichter.

In dem Gewimmel fiel mir ein Mädchen auf, das alle vor
und neben ihr Gehenden um Haupteslänge überragte und
mit ausgreifendem Schritt überholte. Da sie vor mir herlief,
konnte ich ihr Gesicht nicht sehen, nur ihren dunklen Nakken und ihre nassen, bis zum Oberschenkel nackten Beine.
Daß sie schön, jedenfalls auffallend war, ließ sich aus den
erstaunten, manchmal schamlos grimassierenden Mienen
entgegenkommender Männer erraten. Aus irgendeinem
Grund teilte sich mir der Schwung ihrer Bewegung mit. Vor
allem verblüffte mich das Gerät, das sie mit solcher Geschwindigkeit durch das Menschengewühl führte: in ihrer
linken Hand trug sie eine uralte Reiseschreibmaschine. Das
nackte, von Schlammspritzern bedeckte Frauenbein, dane-
ben das sperrige, hier unwahrscheinliche Schreibgerät, das
manchmal, wenn ein Passant zu nahe kam, gegen ihre Knie
schlug – beides wirkte auf mich wie ein Zeichen, und so
hastete ich, ohne Ziel, hinter ihr her.

Als sie die Straße überquerte, blieb ich auf meiner Seite

36

und lief nun auf gleicher Höhe mit ihr. Ja, sie war schön, trotzig und schön, aber ihre Schönheit wirkte eher abweisend auf mich, sie erinnerte mich an nichts. Einmal war mir, als hätte sie mir kurz das Gesicht zugewandt, aber wahrscheinlich hatte nur ein grell flimmerndes japanisches Firmenzeichen ihren Blick angezogen. Daß ich ihr folgte, mußte sie längst bemerkt haben, denn wir hielten beide, wenn auch durch Fahrbahnbreite voneinander getrennt, mit Abstand das schnellste Gehtempo, es war fast ein Laufen.

Plötzlich wendete sie sich nach links, öffnete die Tür zu einem Geschäft und verschwand in einer Gruppe von Kunden. Nur wenn sie durch hinter ihr Stehende ins Licht über dem Ladentisch gedrängt wurde, konnte ich hinter dem spiegelnden Schaufenster noch ihren Umriß erkennen.

An den Püffen Vorübergehender, die mich auf die Fahrbahn abdrängten, merkte ich, daß ich stehengeblieben war. Die Tatsache, daß ich in einer wildfremden Stadt jemandem folgte, jemanden erwartete, erregte mich. Eine Gier, die den Körper schwer macht, erfüllte mich. Ich überquerte die Fahrbahn und stellte mich vor ein Schaufenster, in dem Kameras, Küchengeräte und Uhren ausgestellt waren.

Nach einer endlosen Zeit sah ich sie aus dem Geschäft herauskommen. Statt der Schreibmaschine hielt sie ein Stück Papier in der Hand, und plötzlich fiel mir ein, an welches lateinische Wort mich die Schaufensteraufschrift erinnert hatte: das Mädchen hatte die Schreibmaschine soeben verpfändet. Diese Entdeckung machte mich schamlos. Ich lief nun, immer in Hörweite ihrer spitzen, unglaublich hohen Absätze, den ganzen Weg mit ihr zurück. Ich spürte, daß der Blick, den sie einem rempelnden Mann hinterherwarf, eigentlich mir galt, und erschrak über den Eindruck, den ich auf sie machen mußte. Wieder wechselte ich die Straßenseite, blieb aber immer auf gleicher Höhe mit ihr. Sie schaute kein einziges Mal zu mir herüber. Dann aber war sie es, die plötzlich die Straße überquerte, so daß ich vor ihr herlief. Ich blieb vor einem Sportgeschäft stehen und beobachtete in dem schräg gestellten Schaufenster, wie sie näherkam. Mir schien, daß sie zögerte, als sie an mir vorüberging. Wieder folgte ich ihr. Als sie den Kopf zurückwandte, war ich sicher, daß die Geste mich meinte. Ihr Blick war abweisend, gleichzeitig drückte er Neugier aus, auch eine Herausforderung. Nur fragte ich mich, ob dieser Blick tatsächlich mir galt oder dem Angehörigen einer anderen Rasse.

Ich lief ihr nach, bis wir einen Marktplatz erreicht hatten. Hinter kunstvoll errichteten Warenpyramiden saßen Frauen, die mit offenen Augen zu schlafen schienen. In unvorstellbarer Enge thronten sie über Aufbauten, die nur noch den Kopf und die Schultern sehen ließen: fremdartige Wesen, die auf einem gewaltigen Körper aus Büchsen, Früchten, Fleischstücken oder Wollknäueln einen menschenähnlichen Kopf trugen. Von überall her griffen Hände nach mir und drängten mir getrocknete Wurzeln oder Pülverchen auf, die gegen Tod, Eifersucht, Untreue oder den bösen Blick helfen sollten.

Das Mädchen mit dem Pfandschein schlüpfte behend zwischen diesen Händen und Ständen hindurch. Immer wieder sah ich ihren Kopf zwischen den Aufbauten verschwinden; jedesmal aber, wenn ich sie endgültig verloren glaubte, blieb sie wie zufällig stehen und wartete, bis ich näherkam – wenn auch nie nahe genug, um sie ansprechen zu können. Plötzlich, am Ende des Marktes, dicht neben einem kleinen Hotel, bog sie nach rechts, in eine dunkle, steil ansteigende Straße hinein. Dort drehte sie sich um, als wolle sie sich vergewissern, daß ich ihr folgte.

Ich blieb stehen, stieg dann, ich weiß nicht, ob vor Anstrengung oder vor Aufregung keuchend, hinter ihr her. Sie stand immer noch da, unbeweglich, in der Dunkelheit verschwand ihr dunkles Gesicht, nur auf dem Oberarm spielte ein Fensterlicht. In dem Augenblick, da ich nahe genug war, um sie an diesem Arm zu ergreifen oder sie wenigstens zu begrüßen, krampfte sich meine Brust zusammen. Sie in einen Hausflur zerren, ihr die Kleider vom Leib reißen oder mich vor ihr auf die Knie werfen – zu einer mittleren Geste war ich nicht fähig. Ich streckte den schon halb erhobenen Arm zu dem verhaßten, niemals erlernten Gruß aus, brachte ein englisch-sportliches «Hallo!» hervor und ging weiter, als hätte ich mich geirrt.

Ich verlief mich mehrmals, bis ich die Rua Alguem erreichte. Mit Erleichterung sah ich, daß sich das Haus meines Vaters in nichts von den umliegenden Hütten unterschied. Erst jetzt begriff ich, daß mein Vater dort, am Rande der tropischen Großstadt, lebte. Gleichzeitig das Gefühl, als kehrte ich aus einer anderen Zeit zurück.

Die Legende von seinem Tod war längst wahrer als die Tatsache, daß er lebte. Die Welt hatte sich mit anderen Dingen gefüllt. Inzwischen gab es Taschenrechner, Stufenlichtschalter, Make peace not war, Rolling Stones, Sony-Farbfernseher, die Pille und das Mädchen mit dem Pfandschein. Ich mußte nur aus dem Schatten treten, den mein Vater aus ungeheurer Entfernung in mein Leben warf, und ich würde einen Rentner zurücklassen, der sich in nichts von anderen Rentnern unterschied: Einkaufen, Saubermachen, einen Hemdknopf annähen, die Sorge, wer ihn wohl finden würde, wenn er beim Auswechseln einer Glühbirne von der Leiter stürzte.

Als ich, auf Zehenspitzen, das Haus betrat, fand ich ihn schlafend auf dem Zementfußboden. Das einzige Bett hatte er mir zurechtgemacht. Lange habe ich ihn betrachtet, ich hörte seinen leisen, gleichmäßigen Atem. Eine große Ruhe ging von ihm aus.

Ich hatte mir das Gewissen immer als etwas Materielles vorgestellt, als einen Nerv, einen Muskelstrang, der auf Überreizung mit einer Art Entzündung reagiert, die dem Geplagten das Blut in die Stirn treibt, ihn fahrig oder vergeßlich macht, seinen Blick trübt und seinen Schlaf verscheucht. Aber vielleicht war es umgekehrt. Vielleicht meldet uns dieser Nerv nur geträumte oder vorgestellte Verbrechen und schweigt für immer, wenn sie begangen sind.

Mein Vater hatte sich im Schlaf dicht an das Bett herangewälzt; ich würde über ihn hinwegsteigen müssen, um ins Bett zu gelangen. Es war mir unmöglich, das Licht zu löschen, ich hätte den Atem des fremden Körpers im Dunkeln nicht ertragen. Da ich mich andererseits nicht vor ihm entkleiden wollte, zog ich nur meine Schuhe aus. Als ich über ihn hinweg wollte, berührte mein Fuß etwas Hartes, Metallisches an seinem Kopfkissen. Mit dem Zeh stieß ich den Gegenstand unter dem Kissen hervor und sah eine alte Mauserpistole.

Ich weiß nicht, wie lange ich wach gelegen habe, immer im Kampf mit dem Sog, den die nackte Glühbirne auf meine Augen ausübte. Ich sah den Mücken zu, die sich an mir festsaugten; um keinen Preis wollte ich meinen Vater die Augen öffnen sehen. Draußen hörte ich die Laute von Tieren, die ich nicht kannte. Immer wieder Motorengeräusch, dem ich nachlauschte, bis es sich in der Ferne verlor. Ich lag im Bett meines Vaters an seiner Stelle und wartete auf meine Verfolger. Ich schwor mir, keine Nacht länger unter seinem Dach zu verbringen.

Ich erwachte durch das Geklirr von Kaffeetassen. Das Licht, das durch die vergitterten Fenster fiel, war von einer

Helligkeit, die mich erschreckte. Zum ersten Mal sah ich, wie hinfällig mein Vater war. Seine Haut sah grau und bröselig aus wie getrockneter Lehm. Seine Hände zitterten, als er die Tassen zurechtrückte; auch schien mir, daß sein rechter Arm lahmte.

Er hatte aus Haferflocken und tropischen Früchten ein Müsli bereitet. Wir sprachen nicht viel, während wir aßen. Was in der Nacht geschehen war, gehörte einer anderen Zeit an – eine Kriegserinnerung.

Ich lenkte das Gespräch auf Alltägliches, berichtete von den Verwandten in Deutschland, von meiner Anwaltspraxis. Er hörte nicht zu. Er nahm nur Stichworte auf, die er sogleich, in wunderliche Leitsätze verwandelt, an mich zurückgab. Er wollte staatliche Beihilfen für Studierende an einen jeweils zu ermittelnden «Erbwert» gebunden sehen, sprach dann ganz unvermittelt von der Wasserpumpe hinter dem Haus, die repariert werden müsse. Ich antwortete, daß ich von Wasserpumpen nichts verstehe. Mein Bericht über eine Scheidungsklage, bei der ich die Frau vertrat, löste einen Wutausbruch aus. Er wetterte gegen «frauenrechtliche Ideologien», verurteilte die «unbiologische Forderung nach der Gleichstellung der Frau»: «Einschränkung der Frauenarbeit in den gehobenen Berufen und Abhängigmachung von der Erfüllung des biologischen Solls!»

«Ach Vati, deine Substantive!» – mehr ist mir in meiner Erschöpfung nicht eingefallen.

Wir stritten, wir redeten aneinander vorbei. Vorhersehbar seine Frage nach meiner Doktorarbeit – diesen Tribut sei ich dem «Familienprestige» endlich schuldig. Wieder einmal stellte er meinen Cousin Werner, der «das Schiff des Familienunternehmens mit Umsicht» lenke, als Vorbild hin: ein engerer Kontakt zu ihm könne nicht schaden. Ich antwortete, die Welt der Vorstandssitzungen und der Mercedes-Dienstwagen übe keinerlei Anziehungskraft auf mich aus. «Dein Hochmut in Ehren, solange du ihn dir leisten kannst! Aber vielleicht bedenkst du, daß dein Vater seinen Lebensunterhalt nicht dir, sondern der Tüchtigkeit des von dir so verachteten Werner verdankt!» Ich hätte mich nie um meinen Vater gekümmert. Er habe Jahre gebraucht, um auch nur den Namen meiner Verlobten herauszufinden. «Die Zeit wird kommen», rief er, «da du deinen Kindern mit Stolz von ihrem Großvater erzählen und dich deiner Zweifel schämen wirst!»

Da brach es aus mir heraus. Zu keiner Zeit und in keinem erdenklichen Leben könne ich seine Tätigkeit im Lager akzeptieren, allein seine Anwesenheit dort genüge in meinen Augen, ihn schuldig zu sprechen! Gleichzeitig hatte ich das Bedürfnis, den Satz wieder zurückzunehmen; er klang, als hätte ich ihn nur aus Eifersucht auf meinen Cousin gesprochen.

Mein Vater senkte den Kopf, lächelte, schien nachzusinnen. «Du urteilst, aber du willst nicht wissen. Wenn du dir die nötige Zeit nimmst, wirst du begreifen!»

Dann stand er auf, holte Handwerkszeug aus dem Abstellraum hinter der Küche, ging in den Garten. Ich entschuldigte mich mit dem Vorhaben, in der Stadt eine Lampe zu kaufen.

Als ich zurückkehrte, fand ich ihn sitzend im Garten, eine Zeitschrift, deren Titelgeschichte von meinem Vater handelte, lag auf seinen Knien. Er nickte kaum, als ich ihn begrüßte, zeigte mir mit einer Handbewegung, wo die Leiter stand. Während ich die Lampe montierte, sah ich den Umriß des alten Mannes im Gartenstuhl. Lange Zeit saß er regungslos, wie in ein träumendes Nachsinnen versunken, bis die Sonne am Horizont stand.

Später saßen wir wieder im Zimmer, beide bemüht, jedes

verletzende Wort zu vermeiden. Er setzte sein altes Schwarzweiß-Gerät in Gang, das Bild war unscharf, der Ton kaum zu verstehen. Gemeinsam sahen wir einen Fünfzehn-Minuten-Film aus «The Wonderful World of Disney» – eine Serie, die er regelmäßig zu verfolgen schien. Er machte eine spöttische Bemerkung über das Greisenalter, das die Ansprüche an gute Unterhaltung herunterhandle, im übrigen schien er die Zweikämpfe der pfiffigen Maus mit der Katze zu genießen: er erkannte darin die Abenteuer des listenreichen Odysseus wieder. Als eine Werbesendung von VW do Brasil den Film unterbrach, bat er mich, den Ton leise zu stellen, wetterte gegen den Werteverfall in der westlichen Zivilisation. Dann wieder sein kindliches Lachen über die Maus, die den Katzenschwanz mit der Wäscheleine verknotet.

Später erzählte er, er habe einen zwölfjährigen Jungen aus der Nachbarschaft durch seinen Fernseher zum Freund gewonnen. Der Junge habe sogar ein paar Mal bei ihm geschlafen. Seither sei ihm die Disney-Serie ans Herz gewachsen.

Am Abend schlug er einen Ausflug für den nächsten Tag vor. Er habe Freunden der Weinerts versprochen, während ihrer Abwesenheit den Ausbau ihres Hauses zu beaufsichtigen. Danach wolle er mir die Umgegend zeigen. Als ich fragte, wann ich ihn abholen solle, sah er mich mit maßlosem Erstaunen an. Jetzt erst sprach ich von meinem Entschluß, die Nacht in einem nahegelegenen Hotel am Marktplatz zu verbringen. Ich könne ihm nicht länger zumuten, mir zuliebe auf dem Fußboden zu schlafen.

Ich spürte, daß er die Ausrede durchschaute, hörte Verzweiflung in seiner Stimme; er habe «die Jahre der Verfolgung» nur körperlich heil überstanden. Manchmal wache er aus einem Alptraum auf, dann höre er, über seinem verhüllten Kopf, das Fallbeil des Henkers sausen. Kürzlich habe ihn die Fehlzündung eines Motors zu Tode erschreckt, er habe die Explosion für den Schuß eines Attentäters gehalten. Er fühle sich leer, ausgebrannt, verlassen. Immer öfter peinige ihn der Wunsch, sich von seinen Schmerzen und einer undankbaren Welt durch Selbstmord zu befreien.

Für einen Augenblick wurde eine längst begrabene Hoffnung wieder in mir wach. Warum er sich, wenn er denn schuldlos verfolgt sei, noch immer verstecke, fragte ich. So oder so, er müsse sich seinen Richtern stellen! Auf diesem Weg würde ich ihn begleiten, ihm jeden Schutz gewähren, Tag und Nacht bei ihm bleiben.

Dann, nach einer Pause, das metallische Hochschnellen seiner Stimme: «Für mich gibt es keine Richter, nur Rächer!»

Ich hatte nirgendwo in der Gegend ein Taxi gesehen. Deshalb stellte ich mich mit meiner Reisetasche auf die Straße und winkte einen Bus heran. Ich mußte zweimal umsteigen, bis ich die Straße am Marktplatz erreichte. Im Hotel trug ich mich unter falschem Namen ein und gab an, daß ich zwei Nächte bleiben wolle.

Am nächsten Morgen fand ich meinen Vater am Schreibtisch. Er schrieb seinen Bogen zu Ende, ohne ein einziges Mal abzusetzen, ordnete die Papiere auf dem Tisch in eine Mappe ein und legte sie sorgfältig zur Seite. Die Arbeit schien ihn belebt zu haben. Während er aufstand, sagte er leichthin: «Heute zeigen wir dem Schwarzwälder mal einen richtigen Wald!»

Er hatte eine Thermosflasche und ein Päckchen Proviant vorbereitet und bestand darauf, einen japanischen Kassettenrecorder mitzunehmen. Es gebe nichts Schöneres, als mitten im Urwald deutsche Musik zu hören.

Mit dem Bus fuhren wir in ein Stadtviertel, dessen frisch gestrichene, von kleinen Gärten umgebene Häuser einen mäßigen Wohlstand verrieten. Mit Stolz zeigte er mir einen Dachstuhl, den er mit eigenen Händen ausgebaut habe. Die Arbeiter erkannten ihn und fragten ihn gleich um Rat. Er redete mit ihnen in ihrer Sprache. Mich stellte er als seinen Neffen vor, und ich sah mich sofort in die Hochachtung, die sie dem «doutor» entgegenbrachten, eingeschlossen. Obgleich ich in seinem Ton keinerlei Dünkel oder Zurechtweisung spürte, hielten sie sich in scheuer Entfernung von ihm.

Dann stieg er, überraschend gewandt, in den halbfertigen Dachstuhl hinauf. Vielleicht mißverstand ich seinen Wink, jedenfalls fühlte ich mich aufgefordert, ihm zu folgen. Ich hatte immer zu Schwindelanfällen geneigt, aber ich erreichte ohne Unsicherheit die Höhe des Firstes. In dem Augenblick, da ich mich neben ihn setzen wollte, sah ich, vielleicht durch das grelle Licht getäuscht, in seiner zum Schlag erhobenen Faust etwas Spitzes, Metallisches aufblitzen, und das Fachwerk verschwamm mir vor den Augen. Ich weiß nicht, ob ich schwankte, aber aus der Härte, mit der mich mein Vater am Handgelenk packte, mußte ich schließen, daß er mich vor dem Herunterstürzen bewahrte. Merkwürdigerweise empfand ich keine Nachwirkung des Schrecks in den Gliedern, auch keine Dankbarkeit. Es war vielmehr so, als habe mir der eben vermiedene Sturz eine Bewegungsart angezeigt, die sich ganz natürlich aus der Nähe zu meinem Vater ergab.

Von nun an suchte ich nach Gelegenheiten, unter seinen Augen und möglichst durch seine Schuld umzukommen. Auf der Straße rutschte ich in ein Schlagloch ab; hätte er mich nicht abermals gehalten, wäre ich wohl unter einen der heranrasenden Busse geraten. Ich weiß nicht, ob er eine Absicht hinter diesen Ausfällen erriet, er fragte mich nichts.

Doch von nun an hielt er sich in so großer Nähe zu mir, daß er mich jederzeit mit einem schnellen Griff daran hindern konnte, ihm den ersten Schmerz seines Lebens zuzufügen. Von Bus zu Bus, immer vor mir aussteigend, führte er mich in menschenleeres Gelände. In einem Naturschutzpark stießen wir auf einen winzigen Zoo. In der Mittagshitze, die die Feuchtigkeit in Dampfwolken aus dem Boden trieb, schlichen selbst die Raubtiere wie betäubt umher. Als ich mich auf das Geländer eines Gehweges stützte, muß mein Vater gefürchtet haben, daß ich zum Sprung über den Wassergraben ansetzte. Plötzlich packte er mich von hinten und warf mich mit unglaublicher Kraft zu Boden. Schließlich war ich die Berührungen leid, zu denen ich ihm mit meinen Ausfällen Anlaß gab, und trottete artig neben ihm her.

Hinter dem Park wurde der Wald immer wüster und unzugänglicher. Das Laubdach, das sich in phantastischer Höhe über uns wölbte, ließ kaum einen Sonnenstrahl durch, der modernde Boden verschluckte die Schritte. Überall sah ich abgebrochene, abgestorbene Äste, Baumstämme, so hoch wie das Münster in Freiburg, von Parasitenpflanzen erwürgt. Hier wuchs kein Baum im nötigen Abstand vom nächsten. Jede Pflanze, die ihre Wurzeln tief genug in den Boden zu treiben vermochte und die Kraft für eine Aufwärtsbewegung zusammenbrachte, mußte sich ihren Platz mit einem Dutzend anderer Pflanzen teilen, die sich an ihr festklammerten und ihr den Weg zum Licht streitig machten. Ein Schlachtfeld war es, auf dem ein lautloser, jahrmillionenalter Krieg ausgetragen wurde. Ich hatte bisher nur Spielzeugwälder gekannt.

In einer Lichtung, die ein umgestürzter Philodendron in das Dickicht geschlagen hatte, machte mein Vater halt. Er setzte sich auf einen bemoosten Ast, von dem kopfgroße, vollkommen zernagte Blätter herabhingen. Nur die Laute

unsichtbarer Tiere waren zu hören und manchmal, wie auf-
prasselndes Feuer, das Geräusch welker Blätter, die im
Wind aneinanderschlugen. Wie ich ihn dort sitzen sah, mit
der Sonnenbrille, die er aus Gewohnheit nicht abnahm, mit
dem Rucksack über der Windjacke, begriff ich, daß dies der
Ort seiner Selbstgespräche war. Hier war er nicht nur sicher
vor den Menschen. Hier konnte er, durch keinen Einwand
gestört, seine Botschaft verkünden und aus dem Wachsen
und Sterben ringsum ein millionenfaches Echo heraushö-
ren.

Er holte den Kassettenrecorder aus dem Rucksack und
setzte ihn, ohne ein Wort der Erklärung, in Gang. Es gibt
kein Wort für das Entsetzen, das mich ergriff, als ich aus den
Stereoboxen die ersten Musiktakte vernahm. In einem ra-
senden Rücklauf meines Gedächtnisses durch sämtliche
Briefe, die ich meinem Vater geschrieben hatte, suchte ich
nach dem Satz, dem versehentlichen Hinweis, mit dem ich
ihn eingeweiht haben könnte. Ich war sicher, einen solchen
Hinweis hatte es nie gegeben. Aber die Klänge, die den wilden Dom über uns füllten, waren die Einleitungsakkorde
des G-Dur-Streichquintetts von Brahms, und aus diesen
Klängen hörte ich nun, wie ein sechstes Instrument, die
Stimme meines Vaters heraus.

Wir müßten beide mit einer Enttäuschung fertig werden.
Ich hätte sicher gehofft, daß er sich nach den Maßstäben
jener Spießermoral, deren Anwalt ich sei, freisprechen
würde. Er habe sich gewünscht, daß er sich seinem Sohn
würde erklären können, ohne sein Wissen durch den Zwang
zur Rechtfertigung verkürzen zu müssen. Ich hätte ihm von
Anfang an die falsche Frage gestellt. So werde er mir jetzt
jene Frage beantworten, zu der mir immer die Kraft fehlen
werde: Warum das Ziel, das in den Lagern auf die primitiv-
ste Weise verwirklicht wurde – ja, diese Worte benutzte er:

47

«primitiv» und «unwissenschaftlich» – von der Wissenschaft dennoch festgehalten und zu Ende gedacht werden müsse, solange sie ihre unwiderleglichen Erkenntnisse nicht dem Biedersinn opfern wolle. Ich erinnere mich auch an den Ausdruck «biologische Weltrevolution», weil ich ihn nie zuvor gehört hatte.

Deutlicher noch als seine Stimme hörte ich aber das wuchtige, von der Geige dominierte Staccato, das nach einer kurzen Aufwärtsbewegung jäh abbricht und dann vom Cello durch eine vorsichtige Kantilene beantwortet wird, fast durch eine Pause, eine kaum hörbare Frage – das Cello, mein Lieblingsinstrument.

Woher kannte er dieses Stück? Hatte Mutter ihm, entgegen allen Versicherungen, in all den Jahren Briefe geschrieben? Warum hatte sie sich von ihm getrennt?

Die ganze Zeit, während er sprach, wartete ich auf eine Pause, auf eine Gelegenheit, ihm das Wort abzuschneiden. Aber bevor ich ihn unterbrechen konnte, verwandelte sich der Wald vor meinen Augen in einen erinnerten Wald, in den Wald meiner Kindheit.

Erinnerst du dich an den Wald hinter dem Güterbahnhof? An den zerschossenen Wehrmachtshelm, den wir fanden, die leere Dose Feldschokolade? In der Stadt glimmten damals vereinzelte Straßenlaternen wieder auf, das erste Mal seit Kriegsende, aber im Wald war es dunkel und still, vor jedem Rascheln schreckte man hoch. In diesem Wald, hieß es, seien im letzten Kriegsjahr zweihundert Menschen umgekommen.

Meine Mutter hat dort eine Zeitlang, auf einem dämmrigen, moosüberwachsenen Waldweg, einen Unbekannten erwartet, jeweils zur gleichen Stunde. Was sie mit dem schönen, dunkelhaarigen Mann besprach, verstand ich nicht, mich störte nur seine laute, drängende Stimme. In jenem Wald, dies wußte ich plötzlich, hatte ich meinen Vater zum ersten Mal gesehen. Und meine erste Empfindung ist Angst gewesen.

Erst nach meiner Rückkehr aus Brasilien hat meine Mutter mir diese Erinnerung bestätigt. Sie hatte den Mann, der schon damals von den Alliierten gesucht wurde, nur selten und heimlich getroffen, und jedesmal hatte es Streit gegeben. Er redete von Ländern, in denen man als Deutscher noch den Kopf hoch tragen könne, er forderte, er befahl. Vor allem aber verlangte er jedesmal einen lückenlosen Bericht darüber, wie sie die Zeit zwischen den Treffen verbracht hatte. Er sei krankhaft eifersüchtig gewesen. An dieser Eifersucht, sagte meine Mutter, sei die Ehe gescheitert. Die Gerüchte, die schon damals über ihn umliefen, habe sie niemals geglaubt. Aber diese Verhöre im Wald habe sie nicht ertragen. Als er den Plan faßte, nach Argentinien zu emigrieren und die Familie nachzuholen, habe sie nicht widersprochen. Aber sie habe gewußt, daß sie ihm niemals nachreisen würde. Die Charaktere seien einfach zu verschieden gewesen.

«Meine Geschichte beginnt mit Giordano Bruno», hörte ich die Stimme meines Vaters: ja, er stellte sich in eine Reihe mit den Märtyrern der Wissenschaft, Giordano Bruno, Darwin und er. «Die Verfolgung der Wissenschaft ist so alt wie die Wissenschaft selbst und hat einen einfachen Grund!» Stück für Stück habe die Erforschung der Naturgesetze das kindliche Selbstbild zertrümmert, das die Menschheit im Namen vorwissenschaftlicher Ideale von sich entwarf. In Wahrheit habe der Mensch nur zum Beherrscher der Natur werden können, indem er sich vor ihr in den Staub warf und von allen Mythologien, die ihn zum höchsten Ziel einer gottgewollten Schöpfung erhoben, Abschied nahm. Nachdem Giordano Brunos Entdeckung den Menschen aus der Mitte des Universums verbannt hatte, habe er nach Darwin begreifen müssen, daß er, weit davon entfernt, das Ebenbild Gottes zu sein, von den Affen und in letzter Instanz von den Einzellern abstammte. Der Mensch sei von Natur weder frei noch gleich noch brüderlich, sondern «einzig dem Gesetz der Evolution unterworfen, das die Starken fördert und die Schwachen rücksichtslos an den Rand drängt». Zweifellos sei das Gesetz der Selektion, das im Pflanzen- und Tierreich gelte, auch der bestimmende Faktor bei der Entwicklung der menschlichen Arten gewesen. Bis dieses Gesetz – «ehern» nannte er es – von «volksfremden Kulturidealen wie Nächstenliebe, Unverletzlichkeit des Lebens, Schutz der Schwachen außer Kraft gesetzt wurde». Der «zersetzende Einfluß der jüdisch-christlichen Kultur», die Kultur überhaupt als Feind, als Widersacher der «natürlichen Ordnung der Dinge» – davon war er besessen.

Ausmachen, aufhören, alles gestellt! wollte ich rufen. Ich kenne die Szene aus zwei Dutzend Filmen, jedes Detail, und jedes Detail war schon immer falsch, jedes Bild ein Klischee: der Lagerleiter, der nach dem Massenmord seinen Kindern Schneewittchen vorliest und im Grünen Beethoven hört – eine Kinospekulation von Anfang an, die zuallererst ihre Erfinder denunziert.

Aber das Bild, dieses endlos stehende Bild vor meinen Augen, löste sich nicht auf. Die ganze Zeit, während mein Vater redete, saß er mit gebeugtem Oberkörper und schaute kein einziges Mal auf. Ab und zu nahm er einen Schluck aus der Thermoskanne, und immer noch hörte ich seine Stimme, durch nichts zu beirren, unzerstörbar: «Historische Aufgabe», «Ruf der Geschichte», «Werk der Rassenhygiene»...

Längst habe ja die Evolution nichts Natürliches mehr in

Darwins Sinn. Es sei vielmehr so, daß «die überlegenen Rassen das Überleben ihrer biologischen Erbfeinde» sicherten, während sich das «beste Erbgut» bei einer Elite sammle, die immer mehr schrumpfe. Eindeutig stehe fest, daß «die gemischten Sekundärrassen», durch Hungerhilfen und Entwicklungsprogramme vor der «natürlichen Ausmerze» bewahrt, sich als Sieger der Evolution betrachten dürften – nicht etwa dank ihrer besseren Erbeigenschaften, sondern allein aufgrund einer Selbstaufgabe, welche die weiße Rasse im Namen falscher Kulturideale betreibe. «Das Werk der rassischen Sichtung» sei nicht als ein gewaltsamer Eingriff in den natürlichen Ablauf der Evolution zu verstehen: «Es war und ist» – an dieser Stelle sprach er im Präsens – «der Versuch, die künstlichen Hindernisse, die der jüdisch-christliche Geist den Gesetzen der Selektion in den Weg stellt, beiseite zu räumen…»

Und wenn sich herausstellt, daß auch ich einen «falschen» Ahnen habe? Woher die Sicherheit, daß kein «minderwertiges Erbgut» das Blut meiner Mutter trübt, bis zurück in die neunte Generation? Angenommen, ich wäre nicht so rein, wie die «Lehre» fordert, wohin dann mit mir, nach rechts oder nach links?

«Die moderne Naturwissenschaft hat den Menschen dieses Jahrhunderts an einen Scheideweg geführt. Entweder entwickelt er endlich ein Wertesystem, das den erkannten Gesetzen der Erbbiologie entspricht, oder er wird von diesen Gesetzen zermalmt. Diese Tat allerdings setzt voraus, daß wir die Gesetze der Natur über die des Menschen stellen und uns, wie Giordano Bruno, lieber verbrennen lassen, als ihnen abzuschwören.»

Ich weiß nicht mehr, ob mein Vater den Kassettenrecorder abgestellt hatte oder ob das Band zu Ende gelaufen war. Jedenfalls hörte ich, als er endlich schwieg, nur noch das

Scharren und Knacken unter seinen Füßen. Irgendwann hatte er sich Schuhe und Strümpfe ausgezogen, denn schon seit einiger Zeit sah ich ihn mit nackten Füßen den Urwaldboden bearbeiten. Er krümmte die Zehen wie ein Affe, der im Reflex Halt an einem Ast sucht.

Dann packte er eine Melone aus dem Rucksack und schnitt sie auf. Ich glaube, er hat nicht einmal gemerkt, wie ich aufstand und wegging. Nur ein Gedanke stand, wie eine Flammenschrift, vor meinen Augen: Verbieten, ausrotten! Man muß ihm das Denken und Sprechen verbieten. Hilflos der Straf- und Schuldbegriff, der nach dem individuellen Tatanteil, nach niedrigen Beweggründen fragt: diese Art Mörder sind die harmlosen, die zu umarmenden Mörder. Man muß die mörderischen Gedanken bestrafen, wenn und bevor sie ausgesprochen, wenn und bevor sie gedacht werden. Die größten Verbrechen werden im Namen einer Idee verübt.

Ich weiß nicht, wie ich aus dem Urwald, der mir jetzt wie ein widerwärtiges, auf den Index zu setzendes Lehrbuch erschien, auf die Straße zurückgelangte. Die Hitze, die sich unter dem Dach des vollbesetzten Busses staute, zerschmolz jeden Gedanken und ließ eine wohltuende Leere entstehen. Der Fahrtwind brachte keine Kühlung, nur rötlichen Staub herein, der sich wie ein Firnis auf Lippen und Zunge legte und einen mineralischen Geschmack hatte. Die Fahrgäste saßen schweigend mit halboffenem Mund, auf dem zurückgebogenen Hals und der Stirn glänzte ewiger Schweiß. Jeder schien bemüht, die zum Atmen nötige Bewegung auf das Äußerste zu beschränken. Einige hielten einen Pappbecher in der Hand, aus dem sie Bier oder Cola tranken, während jedes Holpern den Schweiß der Stehenden auf sie herabtropfen ließ. Eine überwältigende, jeden

Impuls vernichtende Gleichgültigkeit legte sich auf mich, und während der Bus rumpelnd und schlagend stadtwärts fuhr, dämmerte ich langsam ein. Es war aber ein seltsames Brausen in meinem Kopf, ein Befehl, wie mit fremder Stimme gesprochen: Er ist schuldig! Es muß ein Gericht gehalten werden!

Der Mann in der Rezeption des Hotels saß in derselben Haltung da wie die Fahrgäste im Bus. Er regte sich nicht, als ich mich über den Tresen beugte und meinen Zimmerschlüssel von dem Brett an der Wand fingerte. Als ich die Tür zu meinem Zimmer aufschloß, störte mich die Reisetasche auf dem ungemachten Bett. Sie stand genau dort, wo ich sie morgens zurückgelassen hatte; dennoch hatte ich das Gefühl, sie sei von fremder Hand abgestellt worden.

Das Zahlenschloß zeigte keine Veränderung. Auch sonst konnte ich an der Tasche keine Spuren einer fremden Einwirkung erkennen. Nur meine Brieftasche, die zwischen der Wäsche lag, fühlte sich zu dünn an. Flugticket und Paß waren da, es fehlten die fünf Einhundertdollarscheine, die für meinen Vater bestimmt waren.

Als ich die Reisetasche genauer untersuchte, bemerkte ich, daß der Faden der Seitennaht eine hellere Färbung zeigte. Jemand mußte die Naht mit einer Rasierklinge aufgetrennt und danach fachgerecht wieder zusammengenäht haben. Ich überlegte, wer sich Zugang zu meinem Zimmer verschafft haben konnte. In dem kleinen Hotel hatte ich außer mir keinen Gast bemerkt; eigentlich kamen nur das Zimmermädchen in Betracht und der Mann hinter dem Tresen, der vermutlich auch der Besitzer war. Da das Zimmer noch nicht aufgeräumt worden war, schied das Zimmermädchen als wahrscheinliche Täterin aus.

Mein Verdacht richtete sich gegen den Hotelier. Jetzt fiel mir auch ein, daß ich ihn am Morgen nach den Busverbindungen zu verschiedenen Ausflugszielen gefragt hatte. Er konnte also mit meiner stundenlangen Abwesenheit rechnen und jene Schusterarbeit, die er vielleicht in früheren Jahren oder als einträgliche Nebenbeschäftigung erlernt hatte, in Ruhe verrichten.

Mein Verdacht verstärkte sich, als ich den Hotelier weckte. Sofort waren seine Augen hellwach; nun glaubte ich mich daran zu erinnern, daß er seine Augen bewegt hatte, während ich über seinen Kopf hinweg nach dem Zimmerschlüssel gegriffen hatte. Womöglich hatte er mir den Siesta haltenden Portier nur vorgespielt. Hinzu kam, daß er jetzt vorgab, mein Englisch schlecht zu verstehen. Noch am Morgen hatte er diese Sprache mühelos, wenn auch in einem unangenehmen Singsang gesprochen. Er zuckte nur mit den Achseln, als ich ihm mit den Fingern die fehlende Summe vorzählte, und fuhr mit seinen schwarzrandigen, zersplitterten Fingernägeln in meine Brieftasche, als wolle er mir einen Irrtum beweisen.

Der Hotelier war ein etwa siebzigjähriger Mann. Auf der bis zum Bauchnabel offenen Brust baumelte ein Madonnenbild, die fleckigen Aufhellungen seiner dunklen Gesichtshaut wirkten wie Ausschlag. Als ich ihn mit einem Grinsen, das ein paar gelbliche Zahnstummel entblößte, in meiner Brieftasche wühlen sah, faßte mich ein Haß, den ich nie gekannt hatte. Am liebsten hätte ich den Kerl an den Ohren hochgezogen und seinen Kopf so lange auf den Tresen geschlagen, bis er gestand.

Ich verlangte, die Polizei zu sprechen. Ich war sicher, diese Drohung würde ihn einschüchtern. Falls er mir das gestohlene Geld nicht gleich auf den Tresen zählte, würde er wenigstens ein Verhandlungsangebot machen.

Der Mann griff zum Telefon und wählte eine Nummer. Er stellte auch, soweit ich es aus den Angaben über die Uhrzeit und die gestohlene Summe erraten konnte, den Vorfall richtig dar. Dann beschied er mich mit der Auskunft, daß ich warten solle, in einer halben Stunde komme jemand vorbei.

Ich warf mich in meinem Zimmer aufs Bett und verfluchte die Anzeige. Die Chance, das gestohlene Geld auf diese Weise zurückzuerlangen, stand in keinem Verhältnis zu dem Aufwand eines womöglich stundenlangen Verhörs durch die Polizei. Andererseits konnte ich nun, nachdem ich soweit gegangen war, die Anzeige nicht rückgängig machen. Schon der Gedanke an das höhnische Grinsen des Alten hielt mich davon ab.

Nachdem ich etwa eine Stunde gewartet hatte, ging ich zur Rezeption und forderte den Hotelier auf, den Anruf zu wiederholen. Er behauptete, das Revier habe eben zurückgerufen, man sei überlastet, der Vorgang könne erst in ein paar Tagen bearbeitet werden. Ich entgegnete, ich hätte weder das Telefon läuten noch ihn mit jemandem sprechen gehört, beides hätte mir in dem nahegelegenen Zimmer unmöglich entgehen können. Ich sagte dem Mann auf den Kopf zu, daß er log, daß er ein Verbrecher sei.

Da bekreuzigte sich der Alte, hob beide Hände und schwor bei der Madonna, daß er unschuldig sei. Er wolle auf der Stelle seine Kinder nicht wiedersehen, wenn er jemals in seinem Leben auch nur einen Cruzeiro gestohlen habe.

«Wie du lügst!» schrie ich. «Nichts ist euch heilig, nicht einmal eure Kinder!»

Der Mann tat so, als verstehe er mich nicht. Als ich jedoch vorschlug, die Angelegenheit gütlich, ohne Polizei zu regeln, fühlte ich mich von seinem Blick ertappt. Er sah mich an, als wisse er alles über mich: meinen Namen, den Anlaß meines Besuches, meinen Wunsch, die Stadt Hals über Kopf zu verlassen. Aber mit keinem Wort ging er auf meinen Vorschlag ein. Er empfahl mir, doch selber zur Polizei zu gehen, kritzelte dann mit zittriger Hand einen Plan auf einen Fetzen Papier, der angeblich den Weg zum Revier wies, und lehnte den Kopf an die Wand.

Die Straßen waren leer wie nach einer Katastrophenwarnung. Nur im Schatten der Hauseingänge sah ich Sitzende, die sich mit müden Bewegungen Luft zufächelten. Einmal glaubte ich, in einer hohen Frauengestalt, die von einer Kinderhand sogleich in eine Seitenstraße gezogen wurde, das Mädchen mit der Schreibmaschine zu erkennen. Wenn sie es gewesen war, hatte die Hitze ihren Schritt unkenntlich gemacht, ihre Bewegungen waren kraftlos und schrecklich verlangsamt. Ich spürte nicht den Wunsch, ihr zu folgen. Ich ging wie betäubt, immer bereit, mich davonzustehlen und im Schatten eines Hauseingangs den Abend, die Jahre zu verwarten. Was mich weitertrieb, war diese Stimme: Er lügt, er ist schuldig, es muß ein Gericht gehalten werden!

Das Polizeirevier war in einer Holzbaracke untergebracht, die kaum doppelt so groß war wie die meines Vaters. An der Rückseite des Raumes saßen etwa zwanzig Gestalten, Männer, Frauen und Kinder, auf einer schäbigen Bank, in ein zeitloses Warten versunken. Es war nicht zu erkennen, ob sie als Angeklagte oder als Beschwerdeführer hierhergekommen waren. Dieser Unterschied schien bei der Hitze auch völlig belanglos.

In der Tiefe des Raumes saß ein älterer Mann an einem aus rohen Brettern zusammengenagelten Tisch. Er schien zu schlafen, jedenfalls hielt er die Augen geschlossen und atmete durch den Mund. Er trug kurze Hosen, ein T-Shirt, Sandalen; an seinen Waden und Oberarmen klafften kaum verkrustete Wunden, die mit einer roten Jodtinktur bestrichen waren.

Aus einem kaum merklichen Heben seines Kopfes schloß ich, daß es an mir war, das Wort an ihn zu richten. Ich fragte ihn, ob er Englisch spreche, erklärte dann, da er nickte, ich wolle eine Anzeige erstatten. Er nahm einen Bleistift zur Hand und blinzelte mich aus halb geschlossenen Augen an. Plötzlich war der Text, den ich mir zurechtgelegt hatte, spurlos aus meinem Gedächtnis verschwunden. Es blieben nur Buchstaben vor meinen Augen, die sich nicht zu den richtigen Silben zusammensetzen wollten. Ich stotterte, bildete Laute, die ich gleich widerrief, und sah hilflos zu, wie der Beamte alles in ein vor ihm liegendes Schreibheft eintrug. Ich beugte mich über den Tisch, um seine schreibende Hand besser verfolgen zu können, und wurde starr vor Schreck. In übergroßer Schrift, wie von Kinderhand gemalt, las ich die Anfangsbuchstaben «Al» und die Zahl 5. War es möglich, daß ich unter der Einwirkung der Hitze die Kontrolle über mich verloren und die Adresse meines Vaters angegeben hatte? Wie war das portugiesische Wort für Diebstahl? Mehrmals rief ich, das Wort durch das international übliche Handzeichen erläuternd: «Robbery! Theft! Five hundred Dollar!»

Dem Beamten schien es völlig gleichgültig zu sein, ob er einen Diebstahl, ein Sexualverbrechen oder einen Massenmord zu den Akten nahm. Er schrieb meine Anzeige auf und winkte mich zur Wartebank. Während des ganzen Vorgangs hatte er keine einzige Frage gestellt.

Lange Zeit geschah nichts, außer daß das Telefon klingelte oder wieder jemand hereinschlich, von Schweiß und Müdigkeit gezeichnet. Wer die Schwelle zu diesem Raum überschritt, war nach kurzer Zeit nur noch damit beschäftigt, auf möglichst kraftsparende Weise Luft zu holen.

Dann entstand eine Bewegung im Raum. Fünf Männer in

Bluejeans und Turnschuhen stürmten herein. Ich glaubte zunächst an einen Überfall, an den Racheakt einer Jugendbande. Dann erkannte ich, daß sich das Zentrum der Bewegung mitten in der Gruppe befand. Vier junge Männer, äußerlich in nichts von ihrem Opfer zu unterscheiden, zerrten und prügelten einen fünften vor den Tisch des Schriftführers und hielten ihn dort an den Haaren und Handgelenken fest. Das Gesicht und die Arme des Sistierten waren blutig geschwollen, ganze Haarbüschel waren von seinem Kopf gerissen, er verbiß sich die Tränen. Ein langer, vibrierender Holzstock zeigte an, woher die Schlagspuren rührten.

Der Beamte trug die Angaben der Schläger, die ich nun für Zivilpolizisten halten mußte, gleichmütig ein und schickte den Trupp dann mit einer Handbewegung zu einer Tür. Als sie geöffnet wurde, konnte ich im Dunkel eines Ganges vergitterte Zellen erkennen. Gleich darauf hörte ich Schlüsselgeklirr, Schläge und Wimmern.

Ich stand auf, bedeutete dem Beamten, daß ich fort müsse, mein Flugzeug verpassen würde, er möge die Anzeige annullieren. Er schien mich nicht zu verstehen und winkte mich, diesmal mit drohender Gebärde, zu meinem Platz zurück.

Ich überlegte, wie ich aus dem Revier unbemerkt herauskommen könnte. Aber unter allen Wartenden schien der Schriftführer nur mich zu beobachten.

Endlose Zeit saß ich so auf dem Sprung, dann klopfte von außen eine Hand an das Fenster in meinem Rücken. In dem freundlich winkenden Mann erkannte ich einen der Schläger wieder. Der Beamte gab mir mit einem Nicken zu verstehen, daß ich dem Mann folgen solle.

Der Schläger hatte sich das Gesicht und die Arme mit Wasser abgekühlt, auf der Stirn und den wulstigen Armen glänzten noch Tropfen. Er sprach mich in ausgezeichnetem Englisch an. Er werde mich jetzt zum Haus des Beschuldigten begleiten, er müsse nur einen Kollegen holen. Dann führte er mich zu einem nagelneuen, weißen VW-Golf und bat mich, auf dem Rücksitz Platz zu nehmen. Ich sah ihn in eine gegenüberliegende Bar gehen und mit einem muskulösen Mann wieder herauskommen. Dessen Oberkörper war nackt; während er näherkam, erkannte ich in ihm den Mann mit Holzstock wieder. Er holte ein frisches T-Shirt aus dem Gepäckraum des Wagens und ein doppelläufiges, abgesägtes Gewehr. Das T-Shirt zog er über, das Gewehr legte er neben mich auf den Rücksitz.

Die beiden kümmerten sich nicht um mich, als sie in halsbrecherischem Tempo losfuhren. Wenn ein Passant im Todesschreck seitwärts sprang, lachten sie nur. Sie fuhren die ganze Strecke, die ich in der Nacht nach meiner Ankunft zu Fuß gelaufen war. Ich sah das japanische Firmenzeichen, das Pfandleihhaus gegenüber, den Marktplatz, dessen Buden jetzt leer waren, wie endgültig verlassen. Nur schnüffelnde, sich gegenseitig wegbeißende Hunde wühlten in den Abfällen einer vergangenen, weit zurückliegenden Nacht. Noch einige Straßen weiter, und der Wagen würde in die Rua Alguem einbiegen und vor der Nummer 5555 halten.

Als der VW mit kreischenden Bremsen zum Stehen kam, setzten sich die auf dem Kopf stehenden Buchstaben, die der Beamte vor meinen Augen in sein Heft eingetragen hatte, zu der richtigen Adresse zusammen. Die Buchstaben Al vervollständigten sich zu dem Wort Albergue, die Zahl 5 war nur die erste Ziffer des gestohlenen Betrages gewesen.

Der Hotelier blinzelte uns müde entgegen; vergeblich suchte ich nach einem Zeichen der Angst. Die Polizisten nahmen ihn sofort ins Verhör. Noch einmal schilderte ich den Vorfall, nannte die Gründe für meinen Verdacht. Die Vernehmer hörten mir höflich zu, sahen den Hotelier von der Seite an, stellten Nachfragen. Aber ihr Verhör wirkte auf mich wie die Wiederholung eines eingeübten Gesprächs, mir schien, dieses Verhör wurde nur mir zuliebe geführt.

Dann verlangten die Vernehmer das Zimmermädchen zu sprechen. Ich begründete meine Überzeugung, daß der Hotelier und nicht das Mädchen das Geld gestohlen habe. Die Polizisten nickten verständnisvoll und ließen den Hotelier klingeln.

Als ich die Frau im Dunkel des Ganges auf mich zukommen sah, schoß mir das Blut in die Stirn. Sie schien kleiner und lief ungeschickt auf ihren hohen Schuhen; offenbar war sie aus dem Mittagsschlaf gerissen worden und hatte nicht einmal Zeit gefunden, die Halteriemen über die Fersen zu streifen. Aber als ich ihr in die Augen sah, voller Furcht vor einem Zeichen, wußte ich plötzlich: ich würde die Frau, der ich gefolgt war, ohne die Schreibmaschine niemals wiedererkennen.

Ich sah sie furchtbar erschrecken, als sie die Polizisten bemerkte; schon bei den ersten Fragen brach sie in Tränen aus. Ich stellte mich zwischen sie und ihre Vernehmer, schwor, daß ich sie niemals gesehen habe, ihr niemals begegnet, daß sie unschuldig sei. Die beiden grinsten mir in widerwärtiger Kumpanei zu. Auch ihnen gefalle diese Frau, nur müßten sie aufgrund meiner Anzeige für einen Augenblick mit ihr nach Hause gehen. Die Frau sah mich voller Verachtung an. Ihr Blick sagte mir, daß meine Beteuerungen zu spät kamen, daß eine Hausdurchsuchung in diesem Land einer Vernichtung gleichkam. Ich ergriff sie am Arm, erklärte, daß ich meine Anzeige fallenlasse, sprach von einem

Mißverständnis. Die Polizisten zogen sie behutsam und unnachgiebig von mir fort. Der Herr aus Deutschland wisse nicht, wie man hier einen Dieb geständig mache, er solle warten, es werde nicht lange dauern.

Als sie das Mädchen die Treppe herunterzerrten, sah ich den Mann mit dem abgesägten Gewehr einen kurzen Blick mit dem Hotelier wechseln. In diesem Augenblick verstand ich das ganze Spiel. Sie würden, dem bestohlenen Touristen zuliebe, die Wohnung des Zimmermädchens zerschlagen und dann zurückkommen, um sich die Beute mit dem Hotelier zu teilen.

Ich ging in mein Zimmer, holte die Reisetasche und bezahlte mit einem Scheck. Der Hotelier grinste, als er die Nummer der Scheckkarte mit der auf dem Scheck verglich. Ein Messer! Wenn ich ein Messer hätte, ich würde es dem lügnerischen Alten an die Kehle setzen, bis er gestand. Und falls ihm die fünfhundert Dollar mehr wert waren als das Leben, würde ich ihn diesen Preis zahlen lassen!

Die Sonne stand riesig vergrößert und fahl am Himmel, ausgebrannt. Vor der Hoteltür bettelte mich ein Mensch an, dessen untere Körperhälfte fehlte. Sein Rumpf war auf einem Holzuntersatz befestigt, den er mit lederumwickelten Armstümpfen vorwärts trieb. Er zischte mir ein Schimpfwort zu, als ich mich abwandte.

Der Abschied von meinem Vater auf dem Flughafen in Belem ist kurz und förmlich gewesen. Wir hatten Angst, beobachtet zu werden. Ich drehte mich nicht um, während ich die Zollkontrolle passierte, und wußte, daß er mir nicht nachwinken würde. Ich war sicher, ich würde ihn niemals wiedersehen.

Zwei Jahre später erhielt ich die Nachricht von seinem

Tod. Die Weinerts teilten mir mit, mein Vater sei bei einem Badeausflug im Meer ertrunken. Zuerst habe ich es nicht glauben wollen. Mein Vater ist immer ein ausgezeichneter Schwimmer gewesen. Aus begreiflichen Gründen ist die Todesursache nie festgestellt worden. Deswegen bleibt mir nichts übrig, als mir die Vermutung von Herrn Weinert zu eigen zu machen, der den Toten geborgen hat: Mein Vater muß einem Gehirnschlag erlegen sein.

Der Tod meines Vaters ist, kaum hatte ich ihn bekanntgegeben, zum Gegenstand von Spekulationen geworden. Auch du fragst mich, woher ich mit letzter Sicherheit wisse, daß mein Vater gestorben sei. Den Verdacht, der sich hinter dieser Frage versteckt, hast du rücksichtsvollerweise nicht ausgesprochen, aber natürlich kenne ich ihn. Man unterstellt, ich hätte den Tod meines Vaters vorgetäuscht, hätte die Todesumstände erfunden und die Gebeine eines anderen präpariert, um die Verfolger endgültig von der Spur des Gesuchten abzulenken.

Ich weiß nicht, ob du diesen Verdacht teilst. Falls es so sein sollte, wirst du in diesen Aufzeichnungen nur ein letztes, besonders perfides Täuschungsmanöver erkennen, das dazu dient, meinem Vater einen ruhigen Lebensabend zu verschaffen.

Ich kann mich gegen diesen Verdacht nicht verteidigen, und ich fürchte, kein Totenschein, kein Expertengutachten wird ihn gänzlich besiegen. Die Welt will meinen Vater nicht sterben lassen, weil sie den Gedanken nicht erträgt, daß auch mein Vater zur Gattung Mensch gehört.

Ich bin dann noch einmal nach Belem gereist, um das Grab meines Vaters zu besuchen. Ein welker Blumenstrauß lag auf dem verwilderten Grab, ein falscher Name war in den Grabstein gemeißelt. Lange habe ich dort gestanden und über meinen Vater nachgedacht. Aber das einzige, was mir eingefallen ist, war: da liegt nun der Mann, der immer mit großen, blonden, blauäugigen Menschen zusammensein wollte, neben einem Japaner. Und ich habe mich gefragt, ob dem Mann so eine Nachbarschaft gefallen würde.

Nachbemerkung des Autors:

Die Erzählung «Vati» fußt auf einer authentischen Begebenheit. Es handelt sich um die erste und einzige Begegnung zwischen dem KZ-Arzt Josef Mengele und seinem Sohn Rolf, über die als erste Inge Byhan in der «Bunten Illustrierten» (Nr. 26–30, 1985) berichtet hat. Über diese Begegnung und die Aussagen des Sohnes Rolf hinsichtlich des Datums und der Umstände des Todes seines Vaters sind im gleichen Jahr Dutzende von Berichten in allen Zeitungen der Welt erschienen. Außer dem Bericht von Inge Byhan seien hier noch drei Quellen ausdrücklich hervorgehoben, aus denen einige Redeweisen der handelnden Personen und Details in der Erzählung «Vati» übernommen sind:

Manfred von Conta / Hans-Werner Hübner: Die Komplizen («Stern», 27. 6. 1985)

Gerald Posner / John Ware: Mengele, The Complete Story, New York 1986

Miklos Nyiszli: Auschwitz, London 1973